KB077537

도시를 움직이는 상상력

도시재생, 문화예술,
커뮤니티의
관점에서 바라본
깡깡이예술마을 5년

목차

도시를 움직이는 상상력
: 도시재생, 문화예술, 커뮤니티의 관점에서 바라본 깡깡이예술마을 5년

이승욱

미학과 문화행정을 전공하고 축제 및 공연기획, 공공예술과 커뮤니티 문화기획, 정책연구 등 다양한 문화활동에 참여했다. 2010년 고향인 부산으로 돌아와 지역문화지 『안녕 광안리』를 발간하고 <문화예술 플랜비>를 창립했다. 깡깡이예술마을 총감독을 맡아 5년 동안 이 사업에 참여했다.

깡깡이예술마을은 문화예술을 통해 낙후된 지역에 새로운 활력을 불어넣는, 이른바 '문화적 도시재생'의 대표적 사례이다. 깡깡이예술마을 조성사업은 8개의 선박수리조선소와 300여 개의 소규모 공업사들이 밀집한 부산 영도구 대평동 일대에서 지역문화단체인 <문화예술 플랜비>를 중심으로 <대평동마을회>와 <영도구>, <영도문화원>이 협력하여 2015년부터 2020년까지 진행됐다. 이 기간 동안 깡깡이예술마을 사업은 크고 작은 성과를 낳기도 했지만 그만큼 많은 시행착오를 겪기도 했다. 사업을 시작할 무렵에는 부산 사람들에게조차 거의 알려지지 않았던 깡깡이마을이 전국적인 인지도를 가지게 됐고 문화적 도시재생의 성공적인 사례로 손꼽히기도 한다. 이 책은 깡깡이예술마을 사업 5년을 평가하며 그 성과와 한계를 되짚어 보는 것을 목표로 한다. 이를 위해 도시재생, 문화예술, 커뮤니티, 3개의 키워드를 중심으로 직접 사업에 참여했던 내부자뿐만 아니라 다양한 외부 필진의 시선과 평가를 담아냈다.

도시재생의 관점에서 바라본 깡깡이예술마을

깡깡이예술마을 사업은 2015년 부산시가 도시재생사업의 일환으로 시행한 '예술상상마을 공모사업'에 선정되면서 출발했다. 도시재생사업이 전국적으로 확산된 것은 비교적 최근의 일인데 2013년 '도시재생활성화 및 지원을 위한 특별법'이 제정됐다. 잘 알려진 바와 같이 도시재생사업은 도심시설을 한꺼번에 철거하고 신도시를 건설하는 기존 '재개발' 방식과는 다른 접근법이다. 대규모 토목을 수반한 도시정비사업은 흔히 상전벽해로 불릴만큼 짧은 시간 내에 도시의 구조를 재편하는 데 매우 효율적인 방식이지만 그만큼 많은 문제점과 부작용을 가져온 것도 사실이다. 대규모 철거과정에서 자연환경을 파괴하거나 오랫동안 터 잡고 살아 왔던 주민들이 떠나고 새로운 이주민들이 대거 유입되면서 지역공동체가 해체되고 주민들 사이에 심각한 갈등이 생겨나기도 한다. 무엇보다 이러한 도시정비사업을 통해 조성된 신도시는 아파트의 브랜드와 건물의 간판들만 다를 뿐 획일적인 도시의 풍경을 양산하여 사회문화적 다양성이 축소되는 폐해를 낳았다. 이에 비해 도시재생사업은 지역 주민과 공동체의 참여를 촉진하고 지역의 전통자원을 활용하면서 새로운 요소의 도입을 통해 점진적인 변화를 추구한다. 기존 재개발 방식이 경제적이고 기능적인 관점에서 도시공간의 효율적인 재편을 추구했다면 도시재생의 관점은 오랜 시간 축적된 지역의 역사와 전통, 삶의 가치와 정체성을 성찰한다는 점에서 통합적이고 문화적인 접근이라고 평가할 수 있다.

깡깡이예술마을 사업을 시작할 무렵 부산은 도시재생의 선진 사례들로 전국적인 주목을 받고 있었다. 부산시는 2010년부터 창조도시본부를 설치하여 '산복도로 르네상스'라는 명칭으로 고지대의 낙후된 주거지역을 정비하는 사업을 활발하게 전개하고 있었다. 산복도로山腹道路의 사전적 의미는 산山의 중턱中腹을 지나는 도로이지만 부산의 산복도로는 일제 강점기와 해방기, 한국전쟁과 고도성장의 시기에 부산으로 대거 몰려온 이주민과 피난민들이 경사진 산지에 무허가 판잣집을 짓고 정착하면서 만들어진 산동네를 일컫는 말[1]이었다. 연간 100만 명 이상의 방문객이 찾는 감천문화마을도 이 사업을 통해 본격적으로 조성됐다. 산복도로는 부산에서 가장 낙후된 지역이면서 동시에 부산의 근대사와 생활사를 가장 잘 보여주는, 부산형 도시재생의 상징적인 공간으로 주목받고 있었다. 이에 비해 부산의 항만지역은 대부분 산업시설로 이용되면서 일반인의 출입이 자유롭지 못했고 자갈치시장을 제외하고는 잘 알려진 곳이 드물었다. 부산의 바다는 해운대와 광안리, 태종대와 다대포같은 자연환경과 편의시설을 잘 갖춘 해변휴양지들이 대표하고 있다. 깡깡이예술마을은 크고 작은 수리조선소와 공업사들이 밀집한 워터 프론트 공업지역을 대상으로 부산이 항구도시로 성장한 역사와 삶의 발자취를 조망하고 항만의 산업유산을 활용한 도시재생의 새로운 사례로 평가받고 있다.

이 책의 첫 번째 주제, 도시재생 편에는 3명의 필진의 글이 실려 있다. 부산의 산복도로와 원도심의 다양한 지역에 대한 연구 성과를 바탕으로 도시재생과 마을만들기 프로젝트를 직접 이끈 경력이 있는 부산대학교 건축학과 우신구 교수는 도시재생사업을 평가하는 3개의 기준, 지역역량의 강화, 지역자원의 활용, 새로운 기능의 도입의 관점에서 깡깡이예술마을 사업의 성과와 과제를 고찰했다. 깡깡이예술마을 사업과 비슷한 시기에 인근 봉래동에서 추진된 대통전수방 사업을 실행하면서 영도에 대한 남다른 애정을 가진 홍순연 <로컬바이로컬> 대표는 지역 주민들의 참여와 소통의 관점에서 깡깡이예술마을에 위치한 3개의 커뮤니티 공간, '깡깡이 생활문화센터', '깡깡이 마을공작소', '깡깡이 안내센터'의 구체적인 조성과 운영 과정을 평가했다. 근대유산과 산업유산에 각별한 애정을 가지고 꾸준히 연구활동과 보전운동을 펼치고 있는 경성대학교 도시공학과 강동진 교수는 근대 이후 수리조선산업의 중심지로 발전한 깡깡이마을의 역사를 되돌아보고 산업유산으로서의 가치와 잠재력, 향후 과제에 대해 살펴보고 있다.

문화예술로 도시를 사유하고 실천하기

도시 속에서 문화예술의 새로운 가치와 가능성을 실험하는 시도들은 오래전부터 지속되어 왔는데 공공예술도 대표적인 사례로 꼽을 수 있다. 일반적으로 공공예술은 미술관이나 박물관, 공연장 같은 정해진 문화공간이 아니라 공원이나 거리와 같은 도시의 일상적인 장소에서 전시되거나 상연되는 예술작품을 가리킨다. 공공예술은 시대와 사회의 흐름, 정책의 변화에 따라 다양한 형태로 일상 속에 실천되고 있다. 1960년대와 70년대에는 세종대왕과 이순신 장군 등 역사적 위인들의 동상이나 근대화와 반공 등 국가적 이념을 상징하는 기념조형물들이 전국적으로 건립됐다. 아시안게임과 서울올림픽을 전후로 도시 곳곳에 조각미술품들이 설치되기 시작했는데 1980년대와 90년대에는 도시 미관을 향상시키기 위해 설치되는 장식미술품에 대한 사회적 관심이 높아졌다. 2000년대 이후 공공예술은 기념조형물이나 장식미술의 경향에서 벗어나 지역의 역사와 전통, 장소의 정체성에 대해 진지하게 고민하고 주민 혹은 지역공동체의 소통과 참여를 강조하는 흐름들이 대두됐다. 이러한 시도들은 '아트인시티', '마을미술 프로젝트', '우리동네 미술' 등 여러 정책사업들과 맞물려 전국적으로 확산됐다. 부산에서도 물만골과 안창골, 감천동과 초량동, 수정동의 산복도로 지역에서 지역 예술가들이 다양한 공공미술 작업을 시도했다. 낙후된 지역에서 이뤄진 이러한 예술적 실험의 성과들이 이후 '산복도로 르네상스'와 같은 도시재생사업으로 이어지는 계기를 마련했다.[2]

다른 맥락에서 보면 공공예술의 다양한 실험들은 예술이 특권적 지위를 획득하면서 오히려 대중으로부터 고립되는 동시대 예술의 딜레마를 타개하려는 시도로 이해할 수도 있다. 우리는 예술을 체험하기 위해 미술관과 공연장을 찾는 것을 당연하게 여기지만 서구에서도 지금과 같은 예술전용공간은 모두 근대 이후에 만들어졌다. 근대 이전의 예술은 현대의 장르예술처럼 독립적으로 '고상하게' 존재하지 않았다. 춤과 음악, 연극 같은 공연예술은 분화되지 않은 채, 세시풍습과 관혼상제, 종교 등과 결부되어 일상 속에서 행하지는 의례행위의 일부였고 시각 예술의 대부분도 건축과 공예에 귀속되어 있었다. 예술가의 지위도 건축과 공예 분야의 장인들과 뚜렷하게 구별되지 않았고 일반인들 가운데 재능 있는 사람들이 '예술적' 작업을 수행하는 생활예인의 범주에 가까운 경우도 많았다. 근대 이후 예술이 일상의 의례행위와 분리되고 특정한 쓰임새를 가진 물건들과 구별되어 '순수한' 미적 가치를 추구하는 행위나 대상으로 자리매김했고 매체와 형식에 따라 다양한 예술장르들이 분화되고 발전하게 됐다. 근대적 예술의 제도와 개념은 예술의 독립적 위상과 역할을 강화하고 예술가들의 특권적인 지위를 부여했지만 동시에 예술과 일상이 분리되고 예술가들이 대중으로부터 고립되는 현상을 야기했다. 오로지 예술작품의 감상에만 집중할 수 있도록 '불필요한' 배경을 인위적으로 삭제한 화이트큐브의 미술관과 블랙박스의 공연장을 고안했지만, 동시에 이 곳에서 전시되고 상연되는 예술작품들은 현실세계와 팽팽한 긴장관계 또한 상실하게 됐다. 현대사회에서 공공예술이나 공동체예술의 다양한 흐름과 실험의 배경에는 일상과 예술의 분리, 예술가와 관객의 단절이라는 동시대 예술의 위기를 극복하고 생활세계와의 건강한 관계를 회복하려는 예술적 열망이 존재하고 있다.

깡깡이예술마을의 공공예술프로젝트에는 27명의 국내, 해외 예술가들과 단체들이 참여하여 아트벤치와 골목정원, 사운드프로젝트와 라이트프로젝트, 페인팅시티와 키네틱아트 등 다양한 프로젝트를 통해 80여 개의 예술작품과 콘텐츠를 제작했다. 하지만 다른 시각에서 보면 전통적인 공공예술 작품의 제작뿐만 아니라 지역 조사와 아카이빙, 출판과 콘텐츠 제작, 커뮤니티 공간의 조성, 주민 소통과 교류를 통한 공동체 형성, 다양한 커뮤니티 활동의 발굴과 촉진 등 깡깡이예술마을의 다른 사업들도 전통적인 장르와 매체를 넘어 다양한 커뮤니티 활동을 포괄하는 점에서 광의의 공공예술의 맥락에서 이해할 수 있다. 이러한 범위의 확장은 보통 6개월이나 1년 정도의 기간 동안 예술적 목표와 결과물을 산출하기 위해 커뮤니티 활동을 펼치는 일반적인 공공예술 프로젝트와 달리 깡깡이 예술마을 사업이 3년에서 5년이란 상대적으로 장기간 동안 지역사회의 점진적인 변화를 도모하는 도시재생사업의 맥락에서 출발했기 때문일지도 모른다. 하지만 깡깡이예술마을 사업은 유명 작가의 예술콘텐츠를 제작하거나 문화적 랜드마크 공간을 조성하여 지역 활성화의 수단으로 활용하는 접근법과는 다른 의미를 가지고 있다. 경제적 이익과 효율성의 관점이 문화예술을 통해 지역의 역사와 전통을 성찰하고 새로운 가치와 정체성을 모색한다는 점에서 깡깡이예술마을 사업은 도시와 예술의 접점과 관계를 새롭게 형성하는 시도로 이해할 수 있다.

이 책의 두 번째 주제, 문화예술 편에서도 3명의 필진이 참여했다. 큐레이터로서, 미학연구자로서 다양한 사회적 쟁점들과 예술의 긴장관계를 탐구하는 부산대학교 조선령 교수는 비판적 인문지리학자 도린 매시Doreen Massey의 '공간적 상상력'이란 개념을 빌어 '새장르 공공미술'의 한계를 뛰어 넘어 시간과 공간을 잇는 깡깡이예술마을 사업의 가능성과 남겨진 과제들에 대해 고찰한다. 오랫동안 지역사회에서 대안공간을 운영하며 시각예술 분야에서 다양한 실험을 추진했고 깡깡이예술마을 사업에도 직접 참여했던 부산비엔날레 김성연 집행위원장은 다양한 매체와 형식을 활용한 깡깡이예술마을 공공예술 작품들을 유형별로 고찰하고 우리사회에서 이 작업들이 가지는 의미와 쟁점들을 구체적으로 살펴보고 있다. 부산의 로컬리티에 천착하여 실천적인 문화비평과 연구작업을 수행하고 있는 부산외국어대학교 박형준 교수는 깡깡이예술마을 사업을 대평동의 장소와 시간, 여기에서 살아가는 사람들의 사연을 엮어 하나의 이야기를 만들어가는 서사적 과정으로 바라보고 우리의 삶 자체를 문학적 사유와 예술적 실천을 통해 변화시키는 도시재생 패러다임의 전환을 제시하고 있다.

사람과 사람을 잇는 커뮤니티, 지속가능한 도시재생의 실험

앞서 언급한 바와 같이 깡깡이예술마을은 '문화적 도시재생'의 대표적 사례이다. '문화적'이란 수식어가 붙는 것은 이 사업에 단순히 많은 예술가들이 참여했고 이 지역과 연관된 다수의 콘텐츠나 문화공간을 만들어냈다는 의미로 국한된 것은 아니다. 개항과 더불어 최초의 근대적 조선소가 설립되어 지금도 크고 작은 수리조선소와 공업사들이 자리한 대평동은 부산이 우리나라 최대 항구도시로 성장하는 역사와 전통의 이면을 잘 보여주는 공간이다. 깡깡이마을이란 별칭이 배를 수리하는 과정에서 녹슨 배의 표면을 벗겨내는 고된 망치질에서 유래했듯이, 무엇보다 이 지역은 바다를 생활의 터전으로 살아가는 사람들의 역동적인 삶의 발자취를 고스란히 간직하고 있다. 우리가 문화적이라고 하는 것은 깡깡이예술마을 사업이 바로 이러한 지역의 역사와 전통, 삶과 문화에 주목하고 이를 기록하고, 소통하고, 공유하는 것을 재생과 변화의 중요한 출발점이자 계기로 삼았다는 것이다. 문화예술이 도시재생 프로젝트에 기여할 수 있는 바는 예술작품을 통해 장식적인 볼거리를 제공하거나 이색적인 문화공간을 만들어 방문객의 시선을 붙잡는 것이 아니라 성찰과 소통을 통해 공동체의 지속성과 새로운 변화 가능성을 모색하는, 문화예술의 본원적 힘과 가치일 것이다.

깡깡이예술마을 사업을 진행하는 5년 동안 많은 사람이 참여했다. 130여 명의 전문가 또는 단체가 직접 사업에 참여했는데 미술, 문학, 음악, 연극, 무용, 영상, 디자인 등 문화예술 분야뿐만 아니라 건축과 인테리어, 조경 등 건축공간 분야, 역사와 민속학 등 학술과 출판 분야, 여행관광, F&BFood & Beverage, 선박기술 등 다양한 분야의 전문가들이 힘과 지혜를 모았다. 깡깡이예술마을 사업단에는 <문화예술 플랜비>를 중심으로 다양한 분야의 기획자들과 매개인력, <영도구>와 <영도문화원> 등 행정인력들이 참여했고 <대평동마을회>를 중심으로 주민들의 적극적인 참여와 협력이 사업의 원동력을 제공했다. 특히 사업 초기부터 <대평동마을회>는 사업단과 협력하여 모든 사업에 주민들의 관심과 참여를 이끌어냈고, 사업이 종료된 현재까지도 직접 거점공간과 마을사업을 운영하고 있다.

커뮤니티 사업에서 행정과 주민, 외부 전문가들 사이의 소통과 협력을 항상 강조하지만 현실의 과정에서 원활한 협치 체계의 구축은 좀처럼 실현되기 어려운 과제이다. 각자의 영역에 따라 입장과 관점이 다를 뿐만 아니라 주민들 혹은 전문가, 행정 내에서도 서로 다른 관심과 의견이 서로 맞서기도 한다. 비교적 성공적인 커뮤니티 사업도 그 과정을 들여다보면 공동체의 미담만 존재하는 것이 아니라 크고 작은 갈등과 불협화음의 경험을 내포하고 있다. 깡깡이예술마을도 사업단을 발족할 때부터 <영도구>와 문화단체 사이에 입장 차이가 커서 10개월 동안 난항을 겪기도 했다. 사업을 진행하면서 공공예술 작품을 두고 일부 주민들의 거센 항의가 제기되기도 했고 마을 사업의 수익금을 배분하는 문제에서 주민들 사이에 갈등이 빚어지기도 했다. 깡깡이예술마을 사업 이후 영도문화도시로 사업이 전환되는 과정에서 5년 동안의 경험과 성과에도 불구하고 지자체장의 과도한 개입으로 인해 한동안 사업이 중단되는 위기를 겪기도 했는데 지역공동체 사업에서 다중 이해관계자들 사이의 협력체계 구축과 유지가 얼마나 어려운 일인지 잘 보여주는 사례이다.

이 책의 세 번째 주제, 커뮤니티 편에서는 깡깡이예술마을 사업의 거버넌스 구축과정, 그 성과와 의미를 되짚어 보는 3명의 글을 실었다. 초기부터 사무국장으로 깡깡이예술마을 사업에 직접 참여했던 송교성 <문화예술플랜비> 대표는 서로 다른 입장과 견해의 차이에도 불구하고 지역주민들과 민간단체, 영도구청이 어떻게 협력체계를 구축했는지 그 과정을 꼼꼼히 되짚어보고 있다. 민속학 전공자로서 깡깡이예술마을 사업에 참여하여 아카이빙과 책자 발간, 홍보사업을 담당했던 하은지 부산근대역사박물관 큐레이터는 사업 과정에서 만났던 예술가, 주민들의 생생한 육성을 담아 이 사업이 커뮤니티에 미친 영향을 살펴보고 있다. 끝으로 해외유학생으로 왔다가 부산에 정착한 밍웅웻은 낮과 밤, 하루 동안의 체험을 통해 낯설지만 색다른 관찰자의 시선으로 바라본 깡깡이예술마을의 인상을 전달한다.

이 책은 도시재생, 문화예술, 커뮤니티 3개의 주제에 걸쳐 9명의 참여자 및 외부 전문가들의 시선을 담아 깡깡이예술마을 사업의 성과와 과제를 살펴보고 있다. 2000년대 이후 공공예술, 도시재생, 문화도시 등 지역사회와 소통하는 다양한 유형의 풀뿌리 문화예술 활동들이 확산되고 있다. 깡깡이예술마을도 일회성 프로젝트를 넘어 일상과 예술 사이에 지속적인 접점을 형성하고 도시 전체의 맥락 속에서 문화의 가치와 역할을 새롭게 정립하려는 하나의 사례이다. 깡깡이예술마을 5년, 현장의 기록과 다면적인 평가를 통해 우리사회에서 이러한 실험들이 가진 의미를 되짚어 보고 주어진 과제들을 함께 고민하는 계기가 되기를 바란다. 독자들의 이해를 돕기 위해 책의 앞머리에 깡깡이예술마을 전체 사업과정을 되짚어보는 글을 싣고, 각 장마다 주제와 관련된 구체적인 사업을 소개하는 글을 삽입했다. 이 내용들은 사업에 직접 참여하여 예술가들과의 다양한 작업을 실행했던 이여주 깡깡이예술마을 예술국장이 경험과 기록을 바탕으로 꼼꼼하게 작성했다. 이 마을과 지역이 오랫동안 쌓아온 시간의 두께에 비하자면 5년이란 시간이 짧은 시간이라고 할 수도 있지만, 이 기간 동안 적지 않은 사람들이 사업에 참여하고 열정을 쏟았다. 이 글을 빌어 다시 한 번 깡깡이예술마을 사업에 참여한 모든 분과, 아직도 소중한 인연을 이어가고 있는 대평동 마을 주민들에게 깊이 감사의 말씀을 전한다.

1 부산의 산동네는 해안까지 산지가 발달해 있고 평지가 좁은 도심의 지형적 특성을 반영하여 일부 지역에 국한된 것이 아니라, 중구, 동구, 서구, 진구, 사상구, 영도구, 금정구까지 도시 전역에 대규모로 펼쳐져 있다. 산동네 주민들의 불편을 해소하기 위해 1964년 망양로를 시작으로 산허리를 가로지르며 버스가 다닐 수 있는 도로들을 건설했는데 총 연장이 20Km 가 넘는다. 고지대에 다닥다닥 붙어 있는 오래된 작은 주택들, 좁고 가파른 계단들, 산동네를 따라 길게 이어진 도로들이 부산의 독특한 도시경관을 만들고 있는데 산복도로는 이 지역을 가리키는 대명사로 사용되고 있다.

2 기념조형물에서 장식미술, '새장르 공공미술'에 이르기까지 공공미술의 흐름과 변화, 부산에서 지역사회와 연계되어 진행된 다양한 공공미술의 실험은 <문화예술 플랜비>에서 엮은 『부산 공공예술 탐구-기념조형물에서 커뮤니티아트까지』 책자에서 비교적 잘 정리되어 있다.

근대 수리조선 1번지,
부산 영도 대평동

과거 부산 영도구 대평동은, 바람이 이는 것처럼 기운차게 일어난다는 뜻에서 풍발포風發捕로 불렸고 어선들이 풍랑을 피해 머물던 포구라는 의미를 담아 대풍포大風捕라고도 불렸다. 그러다 해방 이후, 파도와 바람이 잔잔해지길 바라는 뜻에서 풍風이 평平으로 바뀌어 대평동이 됐다고 전해진다.

대평동 주변의 남항 일대는 동해안과 남해안이 분기되는 곳으로, 해류가 교차하고 수풀이 많아 예로부터 자원이 풍부한 어장이었다. 그런 까닭에 일본인들은 1876년 부산항 개항 이후, 남항 일대 어장을 침탈했고, 대평동 갯가 일대를 그들의 전용 선착장이자 어업 전진기지로 개발하기 시작했다. 1910년대에는 다나카 키요시風田中清가 우리나라 최초로 증기기관 동력선을 만드는 근대식 조선소 '다나카 조선소'를 대평동에 설립했다. 해안가 일대에는 1910년대 1차, 1930년대 2차 매립공사가 본격적으로 진행되면서 여러 조선소와 관련 선박 부품 가게들이 대평동에 집중적으로 들어서게 된다.

해방 이후 '다나카 조선소'를 비롯해 대평동의 조선소들을 불하받은 우리나라 사람들은 자체적인 기술을 개발했고, 대평동은 1970-80년대 산업화 시기에 '대평동에선 못 고치는 배가 없다'는 명성을 가진 수리조선업의 메카로 성장했다. 하지만 대평동은 1980년대부터 원도심의 쇠퇴와 부산 신항 이전, 선박의 대형화와 울산, 거제 등의 대형조선소 건립 등 대내외의 환경변화를 겪으면서 점차 쇠락하기 시작했다. 그럼에도 해상에서 운항하는 선박은 정기적인 수리가 필요하고 대평동은 중소규모 선박 수리에 특화된 독보적인 산업생태계를 갖추고 있다. 지금도 대평동 해안가에는 8개의 수리조선소와 300여 개의 부품 공업사들이 활발히 운영되고 있다.

대평동은 선박의 표면에 달라붙은 조개껍데기나 녹이 슬어 너덜너덜해진 페인트를 수리조선소에서 망치로 두드려 벗겨낼 때 나는 '깡깡' 소리에 빗대 깡깡이마을이란 별칭으로도 불린다. 마을이 한창 수리조선으로 번성하던 1980년대에는 마을에 '깡깡' 소리가 끊일 날이 없었고, 저 멀리 중구 산복도로까지 들렸다고 한다. 깡깡이 망치질은 높은 선박에 매달려 작업해야 하는 고된 노동인데, 주로 대평동과 영도에 거주하는 중년 여성들이 도맡았다. 오늘날 '깡깡이'는 대평동 마을 주민의 근면함과 끈기를 상징하는 단어이자, 수리조선소 마을인 대평동을 대표하는 명칭으로 자리매김하게 됐다.

동 명칭 법정동: 대평동, 행정동: 남항동
면적 약 160,633m²(대평동 1,2가)
용도지역 준공업지역, 일반상업지역
인구 2,800명, 노년층 비율 25%이상 초고령 사회(2016년 기준)

1910년경 부산 중구 남포동 해안에서 바라본 영도 대평동 (출처: 한국저작권위원회)

1926년 나카무라 조선소 진수식 (출처: 한국저작권위원회)

물양장에 정박한 선박의 모습 (출처: 깡깡이예술마을 사업단)

남항과 깡깡이마을 풍경 (출처: 정만영)

깡깡이마을 수리조선소 풍경 (출처: 정만영)

깡깡이 아지매 작업 모습 1 (출처: 홍석진)

깡깡이 아지매 작업 모습 2 (출처: 홍석진)

깡깡이마을 수리조선소 풍경 (출처: 홍석진)

깡깡이마을 공업사 풍경 (출처: 홍석진)

깡깡이마을 일상 모습 (출처: 깡깡이예술마을 사업단)

선박 수리에 사용되는 부품 (출처: 깡깡이예술마을 사업단)

대평동 주민들과 깡깡이예술마을 사업단의 모습 1 (출처: 깡깡이예술마을 사업단)

대평동 주민들과 깡깡이예술마을 사업단의 모습 2 (출처: 깡깡이예술마을 사업단)

깡깡이예술마을,
5년의 과정을 돌아보다

이여주

건축을 전공했고, 기용건축 등 설계사무실에서 근무하다 2011년부터 문화예술 분야에서 새롭게 일을 시작했다. 지역 문화지『안녕 광안리』 편집장을 맡았으며, 2014년부터 <문화예술 플랜비>에서 예술기획실장으로 재직하면서 문화예술기획, 문화공간 조성, 문화적 도시재생 등을 맡아 진행했다. 깡깡이예술마을에서는 예술국장으로 실무를 맡았다. 현재는 부산대학교 건축학과 대학원에서 도시공간에 대한 연구를 하고 있다.

2015년 4월–2016년 4월 : '예술상상마을' 공모 선정과 추진체계 정립

깡깡이예술마을은 <문화예술 플랜비>가 2015년 <부산시>에서 주관하는 '예술상상마을' 공모사업을 준비하면서 시작됐다. <부산시>는 2011년부터 원도심 산복도로 일대에서 '산복도로 르네상스' 사업을 진행하고 있었는데 특히 사하구 감천문화마을은 2015년 한 해 동안 138만여 명이 방문하면서 부산형 도시재생의 성공적 모델로 부각되고 있었다. 이런 배경 속에서 <부산시>는 감천문화마을과 유사한 또 다른 명소를 만들고자 예술인, 주민, 청년이 주체가 되어 이끌어가는 '예술상상마을' 공모를 실시했다. 부산에서 쇠퇴한 지역이 문화예술을 통해 활성화된 사례는 2006-2009년 <문화체육관광부>에서 전국적으로 시행한 공공미술 사업인 '아트인시티 Art in City', '마을미술 프로젝트'를 시초로 볼 수 있다. 당시 부산에서는 물만골, 안창골, 감천동 등에서 예술가들이 다양한 공공미술작업을 시도하여 주목을 끌고 있었다. 2015년 예술상상마을 공모사업은 도시재생 영역이기도 하지만 문화 예술 프로그램과 예술가들의 활동에 초점을 맞추고 있어 건축이나 도시계획의 전문성을 가진 단체들과 비교해도 문화예술단체인 <문화예술 플랜비>가 장점을 발휘할 수 있는 프로젝트였다.

<문화예술 플랜비>는 새로운 부산형 도시재생의 모델을 만들기 위해 부산의 고유한 정체성을 담은 장소를 물색하면서 조선산업 시설과 공업사들이 밀집해 있는 영도 남항 지역에 관심을 가지게 됐다. 당시만 해도 '영도'하면 태종대가 유명했고, 영화 '변호인'의 촬영지였던 흰여울마을이 새로운 관광지로 떠오르고 있었다. 이에 비해 선박, 창고, 공장이 모여 있는 영도 입구에 위치한 대평동은 부산 사람들에게도 잘 알려지지 않은 평범한 공업지역으로 인식되어 있었다. 실제 이 장소를 방문하면서 조선소 육상 도크 위에 거대한 크레인과 선박들, 크고 작은 공업사들이 밀집한 거리 풍경에 압도됐다. 무엇보다 항구도시 부산의 역사를 간직한 산업유산의 보고이자 오래된 공동체의 발자취가 담긴 삶의 터전이라는 점에 깊은 인상을 받았다.

<문화예술 플랜비>는 영도구청에 대평동을 대상으로 공모 참여를 제안했고 <대평동마을회>, <영도구> 건축과와 협력하여 프로젝트 제안서를 준비했다. 비록 4개월여 짧은 기간이었지만, 문화기획단체, 주민, 행정 주체들이 마음을 모아 노력한 결과 2015년 8월 '예술상상마을'

공모사업에 최종 선정됐다. 본격적으로 실행 체계를 준비하는 과정 중, <문화예술 플랜비>와 <영도구> 사이에 의견이 엇갈리면서 10개월 동안 20차례 가까운 회의를 거쳤다. 당시 행정에서는 센터장, 팀장, 마을활동가 등 3인 정도의 소규모 현장 지원조직을 구성하고 공간 조성 중심으로 대부분의 사업을 외부 업체에 발주하여 실행하는 방식에 익숙했다. 콘텐츠 중심으로 다양한 문화예술 프로그램을 실행하고 주민들과 관계를 형성하고 발전시키는 커뮤니티 사업을 직접 운영하기 위해 6-7명의 상근인력으로 실행조직을 구성하는 방식을 이해하고 받아들이는 데 오랜 시간이 걸렸다. 지난한 협의 과정을 거쳐서 민관협력 추진위원회 구성, 민간단체 총감독 및 실행조직 구성, 공공기관인 <영도문화원>을 통한 예산집행 등이 결정됐다. 최종적으로 꾸려진 사업단은 사업단장과 총감독 아래 예술가, 전문가들과 협업하여 공간 조성과 문화예술 사업을 진행하는 '예술국'과 커뮤니티 사업과 행정업무를 담당하는 '사무국'으로 구성됐다. 사업 선정이 되고 해를 넘겨서 2016년 5월 <대평동마을회>가 소유한 마을회관 2층에 깡깡이예술마을 사업단 사무실을 개소했다.

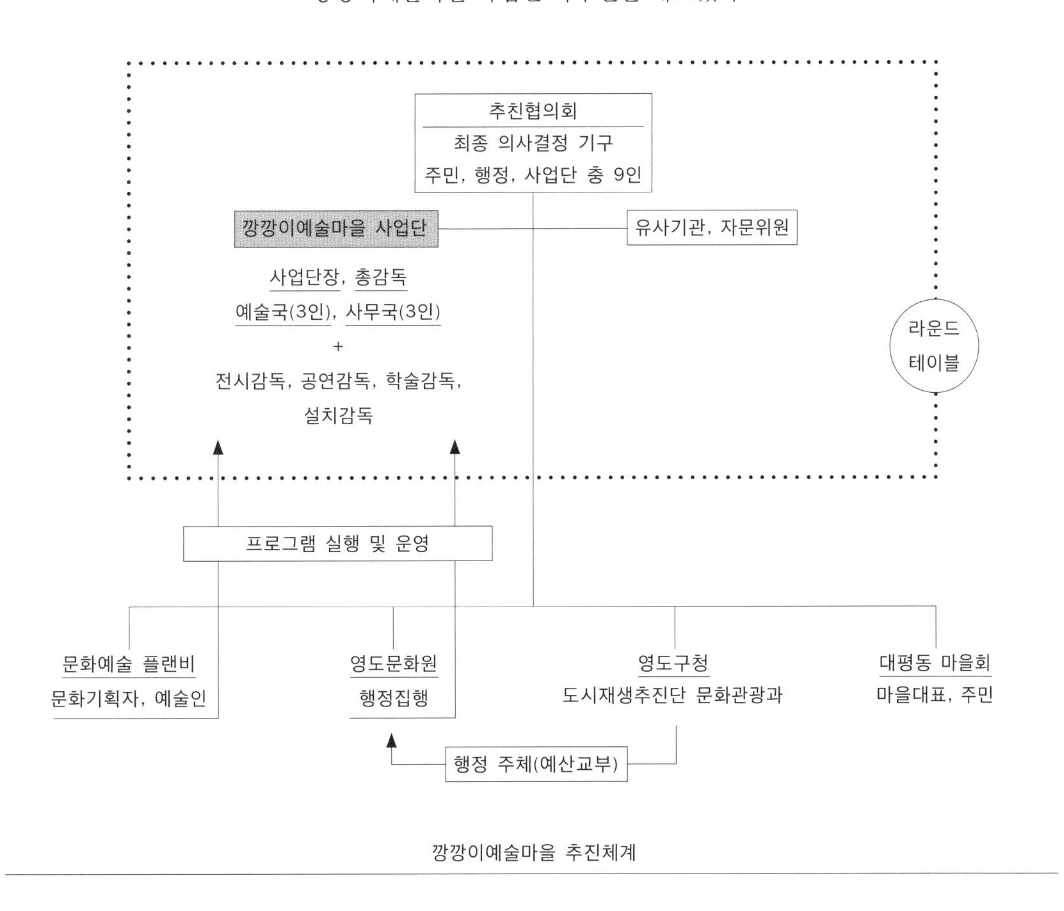

깡깡이예술마을 추진체계

2016년 5월–12월 : 커뮤니티 프로그램의 시작과 마스터플랜 수립

사무실을 열고 가장 먼저 한 일은 주민들과 만나 생생한 이야기를 듣는 것부터 시작해서 지역의 역사, 산업, 생활문화를 면밀하게 조사하는 작업이었다. 우선 주민들과는 초기 3개월 동안 매주 정기적으로 '문화사랑방'을 열어 서로 익숙해지는 시간을 가졌다. 대평동은 2016년 기준 인구 약 2,800명에 65세 이상 노년층 비율이 25% 이상 차지하는 초고령사회였다. 사랑방에 참여하는 주민들 역시 대부분 40–50년 이상 대평동에서 살아온 60–80대가 많았는데, 그만큼 주민 간에 끈끈한 유대감과 동네에 대한 자부심이 강했다. 대평동은 1970–1980년대 원양어선 붐과 함께 수리조선업으로 최고 호황기를 누렸는데, 당시에는 영도 전체를 대평동이 먹여 살린다고 할 정도로 활력이 넘쳤다고 한다. <대평동마을회>는 요즘 도시에서는 보기 힘든 70년이 넘는 역사를 가진 공동체로 마을 자산으로 300평 정도의 부동산을 소유하고 있는데 유치원과 공설시장(현재는 주차장)을 직접 운영했다. 재정적으로도 부족함이 없었고 자체적으로 주민복지 활동을 펼치면서 단합이 잘되는 조직이었다.

1단계	2단계	3단계
문화 사랑방	문화예술 동아리	역량강화 동아리
서로 알아가기	문화·예술 감수성 발현	주체성 강화
2016	2017–2018	2018

주민들과의 관계 단계별 목표

커뮤니티 프로그램인 '문화사랑방'은 의례적이고 일방적인 사업설명회가 아니라 우리가 몰랐던 마을의 이야기를 배우고, 다양한 의견들을 수렴하는 자리로 서로 눈높이를 맞추고 신뢰를 쌓아가는 과정이었다. 초기에는 편안한 다과모임을 마련하여 주민들과 경로당에 모여 앉아 강좌도 듣고 자유롭게 담소를 나누기도 했다. 점차 관심사에 따라 문화예술 동아리 모임을 만들어 주민들의 문화예술적 감수성을 높이고 자기 표현력을 끌어내는 계기를 마련했다. 그리고 거점 공간들을 준비하면서 주민들이 공간과 콘텐츠를 직접 운영할 수 있도록 역량 강화형 동아리를 만들었다. 주민 편집위원들과 함께 격월로 마을신문 '만사대평'을 발간하기도 하고, 분기별로는 마을 축제 '물양장 살롱'을 열어 주민들과 사업의 성과를 공유하는 계기들을 지속적으로 만들었다. 커뮤니티 사업에서는 짧은 시간 안에 주민들의 자발성과 주체성을 기대하기는 힘들다. 깡깡이예술마을은 <대평동마을회>라는 탄탄한 공동체 조직이 이미 존재하고 있어 주민들과 효과적으로 소통하며 사업을 진행할 수 있었다.

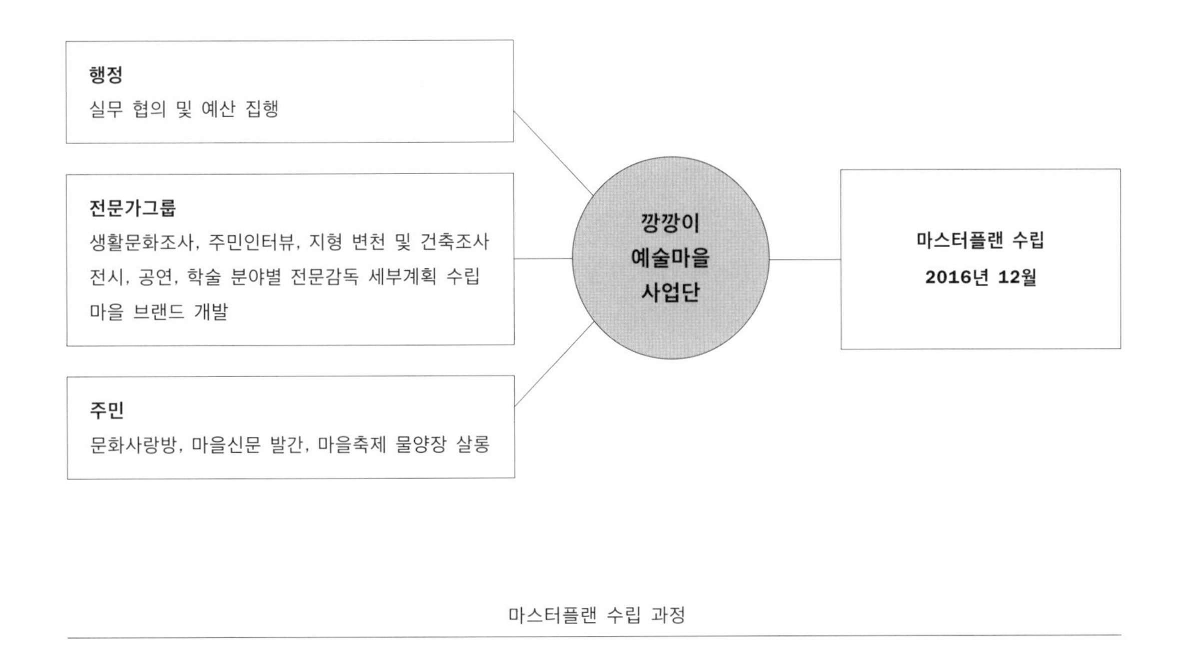

마스터플랜 수립 과정

사업단에서 이렇게 주민들과 직접 만나며 공감대를 만드는 한편, 전문가 그룹을 통해서는 마을의 역사, 문화, 지형 변천사, 건축 등을 조사, 연구하고 주민들의 생생한 이야기들을 수집하여 '생활문화 조사보고서'를 완성했다. 이 기초자료는 이후 '깡깡이예술마을 마스터플랜', '단행본 시리즈', '마을박물관'의 기초 데이터로 활용됐다. '마을 브랜드 개발'도 사업 초기에 시작했는데 디자인팀과 협력하여 지역 고유의 정체성을 바탕으로 통합적인 이미지를 구축하는 BI 개발, 심볼 마크와 로고 타입, 캐릭터와 기념품 등을 제작했다. 사업 첫해에 가장 중요한 일 가운데 하나는 초기계획안을 현장의 상황을 반영하여 구체적인 실행계획으로 발전시키는 마스터플랜 수립이었다. 전시, 공연, 학술 분야별로 경험이 풍부한 전문가를 각각 디렉터로 선임하여 6개월간 격주마다 총감독과 함께 예술국 회의를 진행하면서 문화예술 사업계획을 구체화했다. 사업단은 전문가 그룹과 주민, 행정 사이의 원활한 소통과 협력을 매개하면서 사업의 완성도와 추진력을 높였다.

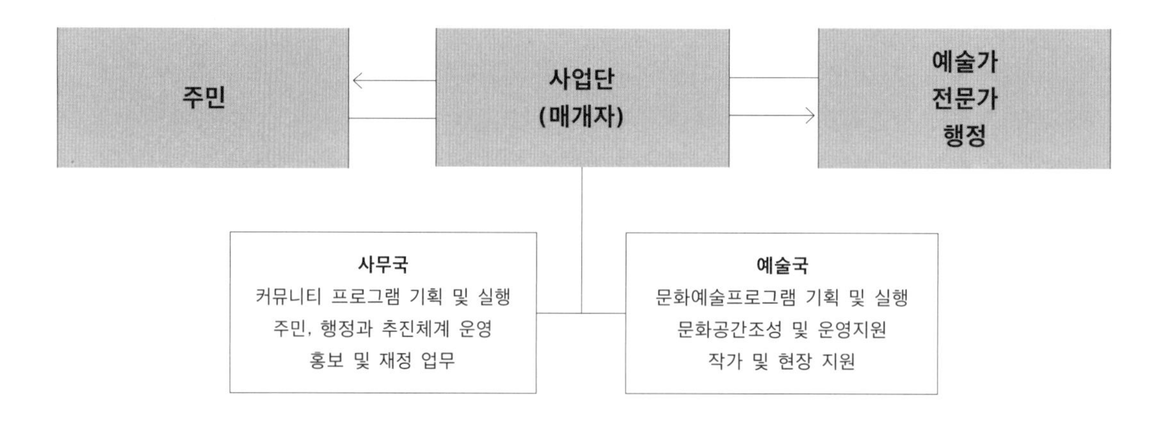

문화매개자로서 사업단의 역할[1]

- 지역에 대한 이해와 커뮤니티와 만나는 감성 필요
- 가치와 비전을 제시, 창조적 기획력 필요
- 시민, 행정, 예술가, 전문가들의 협업을 촉진
- 공간, 컨텐츠, 사람을 연결하는 통합 운영자

문화매개자로서 사업단의 역할

2017년 : 도시를 기록하고, 창의적으로 해석하는 문화콘텐츠 제작

깡깡이예술마을의 주요 사업은 크게 문화공간 조성, 문화예술 콘텐츠 제작, 커뮤니티 프로그램으로 구분할 수 있다. 2016년 사업 초기에는 주민들과 함께 커뮤니티 프로그램을 시작했고, 2017년에는 여러 분야의 창작자들과 협력하여 본격적으로 콘텐츠를 제작했다. 콘텐츠 제작은 크게 마을의 물리적 환경에 변화를 주는 '퍼블릭아트 프로젝트'와 100년이 넘는 깡깡이마을의 역사를 기록하고, 창의적으로 재해석하는 '마을박물관 프로젝트'로 나눠 추진했다.

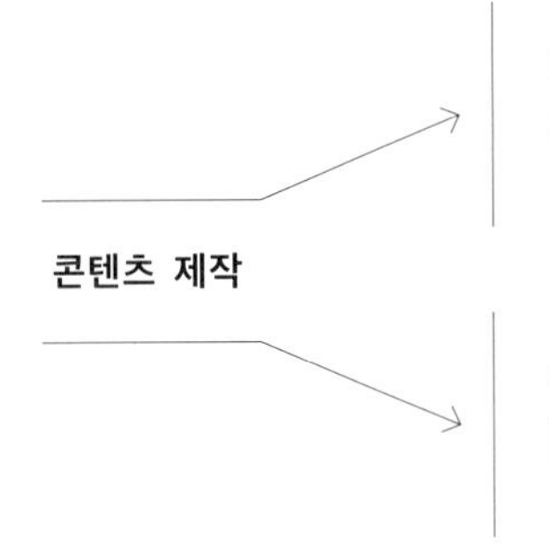

퍼블릭아트 프로젝트	**시각예술 작가 / 그래피티 작가**	페인팅시티, 아트벤치, 골목정원프로젝트, 사운드, 라이트, 키네틱프로젝트, 상징물 조성
마을박물관 프로젝트	**출판 전문가 / 뮤지션 / 만화 작가 / 디자이너 / 영상팀 / 여행 전문가 / 전시기획팀 / 주민 기증**	교양서 단행본 발간, 음원제작, 웹툰, 그래픽노블, 산업 관광, 마을 박물관 조성 등

콘텐츠 제작의 분류

퍼블릭아트 프로젝트와 국제교류, 공공예술 페스티벌

대평동은 준공업지역, 일반상업지역으로 주민들을 위한 벤치, 쉼터, 가로등과 같은 편의시설은 매우 부족했다. 퍼블릭아트 프로젝트는 예술가들과 함께 마을에 필요한 공공 편의시설을 확충하는 동시에 마을의 정체성과 환경적 특성을 담은 공공예술 작품을 통해 독특한 마을 경관을 조성하는 것을 목표로 추진됐다. 국내 및 해외 27명의 예술가와 창작그룹들이 참여했다. 시각예술 작가들은 '아트 벤치', '사운드 프로젝트', '라이트 프로젝트', '키네틱 프로젝트', '골목정원 프로젝트' 등을 통해 편의시설의 기능을 더해 장소의 특성을 담은 공공예술 작품을 제작했다. 분진이 많아 정기적으로 도색을 해야 하는 공장 건물군과 아파트 외벽에는 그래피티 작가들이 참여한 '페인팅시티'를 진행했다. 이 작업은 도시재생사업에서 흔히 볼 수 있는 주민참여형 벽화 제작방식에서 탈피하여 거리 예술 작가들의 개성과 정체성을 담은 강렬한 컬러와 패턴, 대형 인물화와 풍경화를 통해 삭막한 거리에 생동감을 불어 넣었다.

퍼블릭아트 프로젝트의 경우는 국제교류사업과 연계한 작업도 진행됐다. 2017년 2월, <문화예술 플랜비>는 '2017-18 한영 상호교류의 해'를 맞아 영국 시각예술 전문가들의 부산 방문 프로그램을 <주한영국문화원>과 공동으로 기획했다. 이 기회를 통해 영국 방문단체 가운데 셰필드Sheffield에 소재한 <사이트 갤러리Site Gallery>와 협력하여 '부산-셰필드 인터시티 아트프로젝트'를 공동으로 기획했고, <한국문화예술위원회>와 <영국예술위원회>가 후원하는 '한·영 문화예술 공동기금 프로젝트'에 선정됐다. 당시 <사이트 갤러리>도 쇠퇴한 셰필드 구도심 공업 지역을 문화예술을 통해 재생하는 '시티 오브 아이디어즈City of Ideas'를 추진하고 있었는데, 깡깡이예술마을과 '시티 오브 아이디어즈'는 예술가, 기획자, 건축가, 학자 등 다양한 분야의 전문가들이 행정, 지역주민들과 협력하는 문화적 도시재생이라는 공통점을 가지고 있었다. 이 공동프로젝트를 통해 2명의 영국 작가가 깡깡이예술마을의 공공예술작업에 참여했고, 3명의 한국 작가가 셰필드의 공공장소에서 작품을 선보일 수 있었다. 이 프로젝트는 영국 현지 『가디언지The Guardian』에 전면 기사로 소개됐고, 영국 대외통상부가 주관하는 혁신대상INNOVATION IS GREAT, 플레이PLAY 부문 수상자로 선정되기도 했다.

2017년 10월에는 그동안 추진한 퍼블릭아트 프로젝트와 마을 브랜드, 콘텐츠 제작의 성과를 대외적으로 알리면서 시민들과 공유하는 '공공예술 페스티벌'을 3일간 개최했다. 축제는 마을의 매력을 보여주는 수리조선소, 공업사 거리와 물양장, 40년간 선원들의 휴식처였던 양다방 등 일상의 공간들을 활용했다. 북콘서트, 작가와의 대화, 영도와 대평동을 배경으로 한 독립영화 상영, 공공예술 마을 투어, 작가 작업실과 옥상 공간을 활용한 네트워킹 파티 등 다양한 행사를 개최했다. 축제의 마지막 날에는 과거 공설시장이었다가 주차장으로 활용하고 있던 오래된 목조건물을 공연장으로 꾸며 댄스동아리 할머니들과 전문 공연팀이 6개월 동안 준비한 '춤추는 아지매-먼 곳으로부터'라는 작품을 선보였다. 주민, 예술가, 방문객들은 무대에 오른 할머니들의 진솔한 이야기와 몸짓에 함께 울고 웃으며 감동의 시간을 보냈다.

마을박물관 프로젝트와 산업관광

마을박물관 프로젝트는 우리나라 근대 수리조선 발상지로 100년이 넘는 깡깡이예술마을의 역사를 기록하고, 예술가들의 다양한 해석이 담긴 작품들을 통해 지역의 역사와 문화적 가치를 대중적으로 알리는 프로젝트이다. 깡깡이마을의 역사, 산업유산과 생생한 삶의 이야기와 새로운 변화를 담은 교양서 『깡깡이마을 100년의 울림-역사, 산업, 생활』 3부작을 발간했다. '깡깡이 오버씨Oversea 프로젝트'는 서로 다른 장르의 예술가들이 경계를 넘어 하나의 주제로 협업하는 작업방식으로 대중음악과 만화, 영상을 결합해 깡깡이마을을 재해석한 음원 '1950 대평동', '깡깡 30세', 만화 '깡깡시티', 그래픽노블 '깡깡이블루스'를 제작했다. 이렇게 제작한 콘텐츠들은 온라인으로 공개하거나 책자로 발간하여 마을다방, 깡깡이 유람선 등에서 주민들과 방문객들이 상시적으로 즐길 수 있도록 했다. 그리고 그동안의 마을 조사 연구자료, 수리조선과 공업사의 수작업 기술들을 기록한 영상자료, 주민들의 기증품 400여 점 등으로 '깡깡이 마을박물관'을 조성하는 것으로 프로젝트를 완료했다. 마을박물관 프로젝트는 단순히 물리적 공간을 조성하는 것이 아니라 기초조사-아카이브-콘텐츠 제작 과정을 거치며 이전 사업의 성과를 바탕으로 공간을 조성하는 단계적 과정을 거쳐 진행됐다.

2017년 사업단에서는 마을 자체가 수리조선 박물관인 깡깡이마을에 특화된 콘텐츠 개발을 위해 문화체육관광부의 '산업관광 육성사업'에 지원해서 선정됐다. 산업관광은 산업현장을 관광 대상으로 삼아 산업기반시설 등을 방문객이 직접 체험하는 것을 목표로 한다. 그러나 대평동 수리 조선소들의 경우 안전 위험 요소가 많아 관광객들이 직접 들어가 체험하기 어려웠기 때문에 별도의 선박 체험관을 조성하고, 선상 투어, 마을 투어, 박물관 영상 체험 등으로 마을 전체에 산재한 수리조선 산업 전반을 문화적으로 체험하는 콘텐츠 프로그램을 별도로 기획했다. 이 산업관광 지원예산을 활용하여 대평동 일대에서 가장 흔히 볼 수 있는 오래된 예인선을 구입하여 방문객들이 직접 배에 올라 선박의 내부와 외부를 살펴볼 수 있는 '신기한 선박 체험관'을 조성했다. 그리고 깡깡이예술마을 사업으로 조성된 '깡깡이 유람선', '깡깡이 안내센터', '깡깡이 마을공작소'의 공간 활성화를 위해 다양한 체험프로그램을 개발했다. 아울러 투어 지도와 기념품을 제작하고, 거리 이정표를 확충하여 깡깡이예술마을을 방문하는 관객들의 편익을 증진했다.

산업관광 콘텐츠의 구성

2018년 : 기억의 공간들을 문화공간으로 재생, 활성화

깡깡이예술마을의 문화공간 조성은 크게 주민 활동 거점 공간인 '깡깡이 생활문화센터', 해양관광 거점 공간인 '깡깡이 안내센터', '신기한 선박체험관', '깡깡이 유람선', 그리고 제작 체험 공간인 '깡깡이 마을공작소'로 나눌 수 있는데, 2018년까지 차례로 완공했다. 사업단에서는 계획 초기부터 주민, 행정, 예술가, 건축가와 소통하면서 향후 운영계획과 예술가들의 작품들이 공간 설계에 반영될 수 있도록 했다. 조성된 공간들은 시설 관리비와 운영요원 등 최소한의 공공지원을 받으면서 주민들 스스로 운영하면서 지역민과 외부 방문객을 연결하고 마을의 기억을 문화적으로 소통하는 역할을 담당하고 있다.

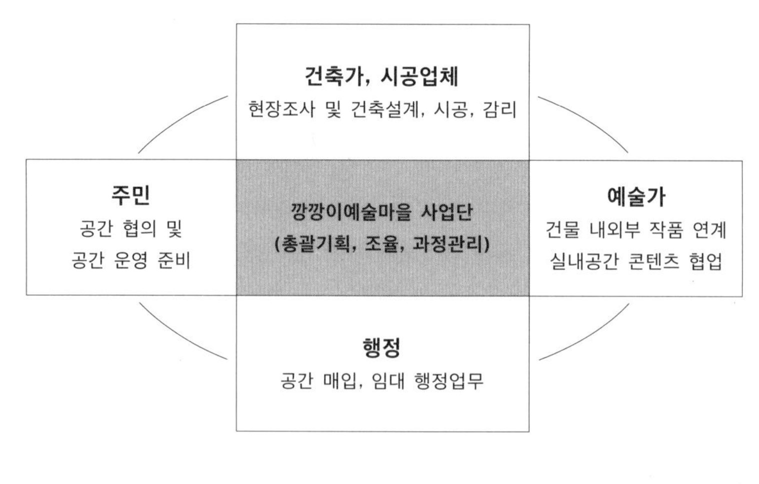

공간 조성 과정에서 주체들의 역할

문화공간 조성과 커뮤니티 비즈니스를 위한 준비

'깡깡이 생활문화센터'는 주민 모임 공간이 작은 경로당밖에 없었던 현장에 꼭 필요한 공간으로 사업 초기에 가장 먼저 진행했다. 2017년 3월에 완공된 1차 공사로 구)대평동사를 리모델링하여 깡깡이예술마을 사업단 사무실과 주민 동아리 공간으로 조성했고, 1950년대부터 <대평동마을회> 자산으로 보유하고 있는 마을회관 건물을 <영도구>에서 10년간 무상 임대하여 커뮤니티 시설로 리모델링하는 2차 공사를 진행했다. 1층은 공동체 부엌과 마을다방, 2층은 마을박물관과 마을회 사무공간으로 조성했는데 2018년 3월에 완공했다. 이 사업을 진행하면서 <문화체육관광부>의 '생활문화센터 조성 지원사업'을 추가로 지원받아 필요한 실내 공간을 조성하고 기자재를 구비할 수 있었다.

영도 물양장에는 1890년대부터 영도 나룻배가 있었고, 대평동과 바다 건너 자갈치, 남포동을 왕래하는 도선장이 처음 생긴 것은 1926년이었다. 대평동 주민들은 모두 어린 시절부터 학교와 시내를 오갈 때 선착장에서 통통배를 탔던 기억을 생생하게 간직하고 있었다. 당시에 영도 도선은 주민들의 일상과 떼놓을 수 없는 주요한 교통수단이었다. 도선장은 마을버스를 포함해서 다양한 교통수단이 확충되면서 이용률이 떨어지다 2008년 폐업했고, 남아 있던 선착장 건물도 이후 선박 충돌 사고로 붕괴되어 완전히 사라졌다. '깡깡이 유람선 프로젝트'는 끊어진 뱃길을 복원하고, 유람선, 안내센터, 잔교 등 선착장 기반 시설을 새롭게 조성하여 영도 뱃길의 역사를 다시 이어가는 해양관광 상품을 개발하는 것이다. 기반 시설 재정비를 위해 노후한 선착장 잔교는 안전진단 검사 후 새롭게 수중 공사를 해야만 했고, '깡깡이 안내센터'는 컨테이너를 활용하여 1층은 안내센터와 유람선 대기실, 2층은 화장실과 전망대로 편의시설을 조성했다. 예술가들과 협업하여 디지털 등대와 사운드 장치 등을 설치하여 독특한 건물 외관을 완성했다.

'깡깡이 유람선' 사업의 실행에 앞서 사업 초기부터 실제 통선을 활용하여 남항 일대를 오가는 임시 운항을 여러 차례 시도했다. 이미 '마을해설사'가 안내하는 마을 투어가 실시되고 있었지만, 남항 일대를 배로 돌아보는 체험은 부산 사람들에게도 매우 이색적인 체험이라서 시민들과 전문가 사이에 호응과 만족도가 매우 높았다. 자연스럽게 사업단과 마을 주민들 사이에 도선 복원 사업은 반드시 추진해야 하는 핵심사업으로 의지가 모아졌다. 그러나 도선 복원은 실무적으로 많은 어려움이 있었다. <부산시>, <남항관리사업소>, <해양경찰서> 등 관계 기관 협의와 주민 공청회, 타당성 검토 등 복잡한 행정 절차를 거치면서 오랜 시간 동안 지난한 행정절차를 거쳤다. 애초에는 대평동과 자갈치를 오가는 기존 도선을 복원하는 계획이었지만 안전 문제, 관련 법령 및 행정 문제로 대평동 선착장에서 수리조선소와 남항 일대를 둘러보고 되돌아오는 유람선으로 계획을 전환할 수밖에 없었다. 2019년 5월이 돼서야 운영을 맡은 <㈔대평동마을회>가 유선사업면허증을 받을 수 있었다. 유람선은 20명 정도 승선할 수 있는 소형선박과 용선 계약을 하고 개조했는데, 선박의 외관은 태국의 유명 그래피티 작가가 새롭게 도색하여 강렬하고 세련된 느낌을 주었다. 유람선 선착장에 정박해 있는 또 다른 시설인 '신기한 선박체험관'은 사업단에서 <문화체육관광부>의 '산업관광 육성 사업'을 연계하여 조성했다. 물양장에서 쉽게 볼 수 있는 예인선을 중고로 구입하여 수리 조선소에서 안전 검사와 수리를 하고, 예술가들과 함께 실내외를 개조했는데, 방문객들이 선박의 기관실, 조타실 등을 직접 둘러보고 다양한 예술 체험을 할 수 있는 입체적인 체험관으로 조성했다.

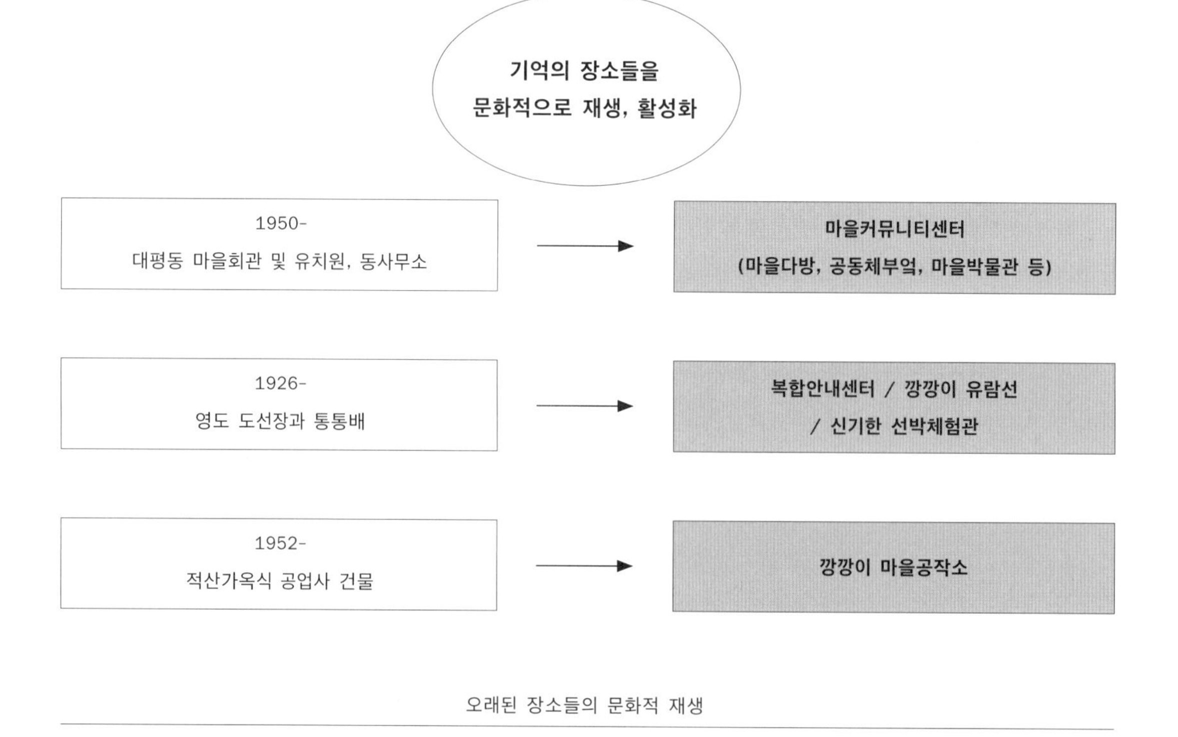

오래된 장소들의 문화적 재생

‘깡깡이 마을공작소’는 실제 사용되던 공업사 건물을 리모델링하여 주민들의 목공 활동이나 방문객들이 제작 체험을 즐길 수 있는 공간으로 조성했다. 매입한 건물은 1952년 지어진 목조 적산가옥이었는데 이후 콘크리트와 벽돌을 이용해 증개축하면서 선박 엔진을 수리하던 공업사로 오랜 기간 사용됐다. 공작소는 적산가옥의 원형이 남아있는 2층 지붕 목구조와 측면의 흙벽 일부를 보존하여 건물의 원형과 시간성을 드러냈다. 예술가와 협업하여 제작 체험을 할 수 있는 키트를 제작했는데, 방문객들이 이곳에서 배의 닻과 키 등 다양한 모양의 조각들을 나사로 조립하고 채색하는 체험프로그램을 개발했다. ‘조립왕 선발대회’ 같은 시민참여 이벤트를 진행하기도 했는데 특히 청소년들 사이에서 인기가 많았다.

사업단은 거점 공간들이 완성되면 주민들이 직접 공간과 콘텐츠를 운영을 할 수 있도록 사업 초기부터 ‘마을카페 동아리’, ‘마을해설사 동아리’, ‘마을목수 동아리’ 등 다양한 동아리 활동을 통해 꾸준히 주민들의 역량 강화를 위해 힘을 쏟았다. 이 동아리 활동을 통해 4명의 주민 바리스타, 10여 명의 마을해설사 등을 배출했고, <대평동마을회>도 2018년에는 기존의 임의단체에서 사단법인으로 전환하여 커뮤니티 사업의 기반을 마련했다. <대평동마을회>는 지금도 마을다방, 마을해설사 투어, 유람선 투어, 기념품 판매, 체험 프로그램 등을 직접 운영하며 일자리와 수익을 창출하고 있다.

깡깡이예술마을 사업기간 종료와 문화적 도시재생

2015년 8월 말, 깡깡이예술마을이 선정되고 주어진 사업 기간은 2017년 말까지 불과 2년 남짓이었다. 사업단 구성을 위한 협의가 지체되면서 사업 기간을 연장하여 2018년 8월까지 전체 사업을 마무리했는데, 실제 실행기간은 2년 4개월 정도였다. 이 기간도 하드웨어 조성과 콘텐츠 제작, 커뮤니티 프로그램을 동시에 수행하기에 매우 부족한 시간이었다. 사업단에서는 처음부터 사업 기간을 늘릴 수 있는 방법에 대해 고민했고 최대한 연계사업을 발굴하여 <부산시>의 ‘예술상상마을’ 지원사업에서 시작한 깡깡이예술마을 사업을 지속하기 위해 노력했다. 이를 위해 <문화체육관광부>에서 2018년 처음 시행한 ‘문화적 도시재생’에 공모해 선정되어 2018년, 2019년 연속으로 사업비를 지원 받을 수 있었다. ‘문화적 도시재생’은 <국토교통부>에서 추진하는 하드웨어 조성 중심의 도시재생

사업들에 비해 사람과 콘텐츠 같은 소프트웨어를 중심에 두고, 장소 기반 문화기획 및 활성화 프로그램을 지원하는 사업이다. 도시재생사업에서 만들어지는 공간들이 사업이 끝나면 운영 예산이 없어 그대로 문을 닫는 경우가 종종 있었는데, 조성된 공간이 지역 사회에 뿌리내릴 수 있게 공간 운영과 프로그램 지원에 초점을 맞춘 사업이었다. 사업단은 2018년 문화적 도시재생을 사업을 통해 기존에 진행했던 문화예술 동아리와 역량 강화 동아리를 지속하고, 주민 자서전『부끄러버서 할 말도 없는데』, 공업사 아카이브 기록물『대평동 공업사를 만나다』등 새로운 콘텐츠를 만들었다. '깡깡이 마을공작소'에서는 예술가들과 대평동 공업사 기술자들이 협력하는 '메이커스 프로젝트'를 진행했고, 마을다방과 공동체 부엌을 활용하여 주민과 예술가, 방문객들이 문화적으로 소통, 교류하는 '예술가의 밥상'을 진행했다.

**2019년 :
깡깡이예술마을에서
영도문화도시로**

도시재생사업을 해본 사람들은 지역의 변화를 피부로 느끼려면 최소 10년은 꾸준히 해야 한다고 말한다. <문화예술 플랜비>는 깡깡이예술마을 조성사업을 진행하면서 하드웨어 조성에서부터 콘텐츠, 커뮤니티 프로그램까지 3년이 채 안 되는 시간 동안 숨 가쁘게 달려왔지만, 시간의 부족함을 더 절감하게 됐다. 이후 2018년부터 2년 동안 '문화적 도시재생'을 통해 깡깡이예술마을 사업을 이어왔지만 그 성과를 더 안정적으로 확장하기 위해 <문화체육관광부>에서 처음 시도한 '문화도시 조성사업'에 도전했다. 문화도시 조성사업은 지역문화진흥법에 의해 '문화를 통한 지속가능한 지역발전 및 지역주민의 문화적 삶 확산'을 목표로 법정 문화도시를 선정했는데 5년 동안 최대 200억의 사업비를 지원받을 수 있었다. 2018년에 처음 신청을 받아 예비사업을 거쳐 2019년 1차부터 2022년 4차까지 해마다 치열한 경쟁을 거쳐 총 24곳이 문화도시로 지정됐다. 2018년 깡깡이예술마을 조성사업을 마친 <문화예술 플랜비>는 <영도구>와 함께 제1차 문화도시 지정을 위한 계획안을 준비했다. '예술과 도시의 섬, 영도' 문화도시 계획안은 영도의 풍부한 자연생태, 산업유산, 생활자원, 해양 교육 자원을 활용하여 부산 원도심을 대표하는 문화 특구로 조성하는 사업안을 포괄하고 있었다. 이 사업안으로 <영도구>는 2018년 12월, 구 단위로는 전국 최초로 예비 문화도시로 선정되는 성과를 올렸다.

<문화예술 플랜비>는 1차 예비 문화도시 선정 이후 영도문화도시 사업단을 구성하고 1년간 예비사업을 진행했다. <영도구>의 지원으로 문화도시 마스터플랜 수립, 대중잡지 『다리 너머 영도』 발간, 문화도시를 위한 거버넌스 체계 구축을 추진했다. 2019년 '문화적 도시재생'을 통해 퍼블릭아트 '절영마행진', 영도 주민 생애사를 다룬 단행본 『영도 타향에서 고향으로』, 영도 곳곳을 여행하는 '문화콘텐츠형 투어프로그램', 지역 청년 기획자를 양성하는 '영도 도시문화기획자 아카데미', 주민들이 직접 참여하는 '영도 문화사랑방' 등 다양한 사업을 진행했다. 또한 <한국문화예술위원회>의 '신나는 예술여행' 공모사업에 선정되어 <문화예술 플랜비>가 영도와 부산의 15개 문화단체와 협력하여 '부산 남항 바닷길 축제'를 개최하기도 했다. 이 축제는 물양장과 바지선, 창고 등 영도 봉래동과 깡깡이마을 일대의 독특한 항구시설과 산업유산을 활용하여 '플로팅스테이지', '대풍포 깃발전', '영도창고 전-부산아트북페어', '물양장살롱-M마켓', '영도 예술산책', '영도 브런치 살롱' 등 다양한 프로그램을 진행했다.

이러한 예비사업의 성과들을 바탕으로 영도구는 드디어 2019년 12월, 제1차 법정 문화도시에 최종 선정됐다. 사업대상지가 영도 전역으로 확대되기도 했지만 향후 5년 동안 안정적으로 깡깡이예술마을의 성과를 이어갈 수 있는 기반이 마련된 것이다. 깡깡이예술마을 추진과정뿐만 아니라 문화도시 선정 과정에서도 <문화예술 플랜비>가 깡깡이예술마을 사업단과 영도문화도시 사업단을 통해 <문화체육관광부>와 <한국문화예술위원회>의 지원사업을 유치하고 일련의 사업을 이끌어왔기 때문에 영도문화도시 사업을 계속 추진할 수 있으리라 기대했다. 하지만 문화도시 선정 이후부터 <영도구>의 적극적인 개입과 간섭으로 갈등이 시작됐고, 사업단조차 발족하지 못하고 결국 영도를 떠나게 됐다. 이후 영도문화도시 사업은 지정 취소까지 거론되는 우여곡절 끝에 2020년 하반기에 새로운 인력들을 충원하여 영도문화도시센터를 발족하고 현재까지 사업을 진행하고 있다.

2019 신나는예술여행 남항바닷길축제 3억(한국문화예술위원회)

2019 문화적 도시재생 사업 2.5억(문화체육관광부, 영도구청)

2019 영도 도시문화 마스터플랜 수립 및 영도 아카이브 잡지제작 1.2억(영도문화원)

+ 영도 문화도시를 위한 추가 연계사업 6.7억

2018 지역문화 브랜드 선정 0.3억(문화체육관광부)

2018 문화적 도시재생 사업 1.6억(문화체육관광부, 영도구청)

2017 다복동 안심마을(CTPED) 사업 1.5억(부산시)

2017 산업관광 육성 사업 10억(문화체육관광부)

2017 부산-셰필드 인터시티 아트프로젝트0.8억(한국문화예술위원회)

2016 생활문화센터 조성 지원사업 2.5억(문화체육관광부)

+ 깡깡이예술마을을 위한 추가 연계사업 16.7억

2016-2018 깡깡이예술마을 조성사업 35억(부산시)

■ 문화예술 플랜비 연계사업

□ 깡깡이예술마을 사업단 연계사업

깡깡이예술마을과 연차별 연계사업

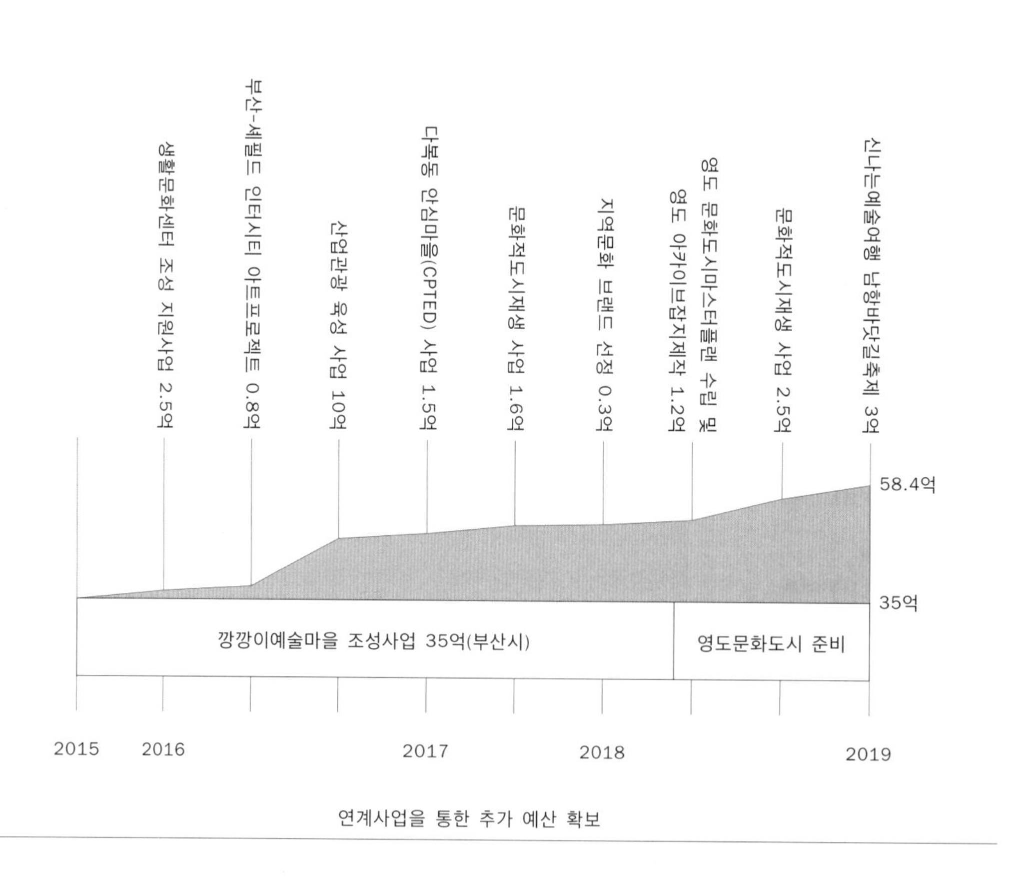

연계사업을 통한 추가 예산 확보

깡깡이예술마을과 연계사업 5년의 성과

깡깡이예술마을과 연계사업 5년의 결과를 요약하면 다음 3가지로 정리할 수 있다. 첫째, 깡깡이예술마을은 하드웨어 조성이 중심이 되는 <국토교통부> 도시재생사업의 일반적인 흐름과 달리 장소와 커뮤니티의 특성을 살린 다양한 문화예술 프로그램에 초점을 맞춘 도시재생사업의 사례이다. 깡깡이예술마을 6가지 핵심사업과 연계사업의 프로그램 구성 비율을 살펴보면, 전체 46개의 세부 프로그램 가운데 콘텐츠 57%, 커뮤니티 프로그램 29%, 공간 조성 14%의 비중을 차지하고 있다. 공간 조성에 소요되는 비용이 규모가 크다는 점을 감안해서 예산 집행 구조를 살펴봐도 공간 조성이 차지하는 비율이 34% 수준이다. 일반적으로 도시재생사업에서 예산의 90% 이상을 공간 정비 및 조성에 투여하는 것과 비교하면 확연히 차이가 나는 지점인데, 이는 문화예술단체가 주도하여 초기부터 콘텐츠, 커뮤니티 프로그램 같은 소프트웨어에 초점을 맞춰 사업을 추진했기 때문이다. 공간 조성도 새로운 건물을 짓는 것이 아니라 기존의 오래된 건물을 리모델링하거나 기억의 장소를 복원하는 재생의 원칙에 충실하게 사업을 진행했다. 깡깡이예술마을 조성사업 이후 연계사업도 주로 <문화체육관광부>, <한국문화예술위원회> 같은 콘텐츠와 문화 활동을 지원하는 사업들을 연계하여 추진했다. 이에 따라 행정 담당 부처도 <영도구>의 건축과, 도시재생추진단, 문화관광과를 포괄하여 다양한 부서와 협력하며 사업을 진행했다. 깡깡이예술마을은 부산이 가진 역사적, 문화적 잠재력을 발굴하여 현재의 대중들과 소통하는 지역문화 콘텐츠를 만들어가는 과정이었고, 이를 통해 주민들의 자긍심을 높이고, 지역의 가치를 재발견하여 활성화의 도약 기반을 마련하는 도시재생사업이었다.

사업	프로젝트	세부 사업	구분
2015-2018 깡깡이예술마을 조성사업(부산시)	1. 영도도선복원 (깡깡이유람선) 프로젝트	1) 깡깡이 유람선 2) 복합안내센터 3) 플로팅 가든	공간
	2. 퍼블릭아트 프로젝트	4) 페인팅시티 5) 아트벤치 6) 사운드 프로젝트 7) 라이트 프로젝트 8) 키네틱 프로젝트 9) 골목정원 프로젝트 10) 상징물 조성	콘텐츠
	3. 마을박물관 프로젝트	11) 생활문화조사보고서, 단행본발간 12) 깡깡이 오버씨 프로젝트 (음원, 만화 그래픽노블)	콘텐츠
		13) 마을박물관 조성 (마을박물관, 마을공작소, 거리박물관)	공간
	4. 문화사랑방	14) 문화사랑방, 마을해설사, 정원사, 시화, 댄스, 신문, 마을다방 동아리, 마을축제 물양장살롱, 마을사진전	커뮤니티
		15) 마을커뮤니티센터(깡깡이 생활문화센터)	공간
	5. 공공예술페스티벌	16) 개막행사_아트투어, 네트워크 파티, 양다방 프로젝트_작가와의 대화, 영화 상영 17) 깡깡이북콘서트, 깡깡이댄스프로젝트 <춤추는아지매>	커뮤니티
	6. 깡깡이크리에이티브	18) 마을브랜드 BI 및 기념품 개발	콘텐츠
		19) 마을신문 <만사대평> 정기발간	커뮤니티
2016 깡깡이 생활문화센터 조성 (문화체육관광부)		15) 마을커뮤니티센터(깡깡이 생활문화센터)	공간
2017 부산-셰필드 인터시티 아트프로젝트 (한국문화예술위원회)		20) 벽화 프로젝트 21) 라이트 프로젝트 22) 설치 작품	콘텐츠
2017 산업관광 육성 사업 (문화체육관광부)		23) 신기한 선박체험관	공간
		24) 바다버스투어 25) 깡깡이길투어 26) 문화콘텐츠 체험_제작체험, 오픈팩토리	콘텐츠
2018 문화적 도시재생 (문화체육관광부, 영도구청)		27) 마을목수, 자서전, 민요, 마을다방 동아리 28) 아티스트 토크, 예술가의 밥상	커뮤니티
		29) 메이커스 프로젝트	콘텐츠
2019 영도 문화도시 마스터플랜 수립 및 영도 아카이브 잡지 제작 (영도문화원)		30) 영도문화도시 마스터플랜 수립 31) 영도 아카이브 잡지 <다리너머 영도>	콘텐츠
2019 문화적 도시재생 (문화체육관광부, 영도구청)		32) 절영마행진	콘텐츠
		33) 영도도시문화기획자아카데미 34) 영도문화사랑방	커뮤니티
		35) 가고 싶은 섬, 머물고싶은 섬 36) 영도 이야기	콘텐츠

2019 신나는예술여행 남항 바닷길 축제 (한국문화예술위원회)	플로팅스테이지	콘텐츠
	37) 특별공연 섬_섬	
	38) 물양장살롱_공연프로그램	
	39) 오픈시네마 영도극장, 씨네토크	
	도시와 예술	콘텐츠
	40) 바람과 예술, 깃발프로젝트 대풍포	
	41) 영도창고전시	
	42) Meriel Mmarket	
	43) 부산아트북페어 프롬더메이커즈	
	바다와 사람들	커뮤니티
	44) 나만의 카메라, 나만의 영도	
	45) 영도예술산책	
	46) 영도브런치살롱	

깡깡이예술마을 사업 및 추가 연계사업 전체표

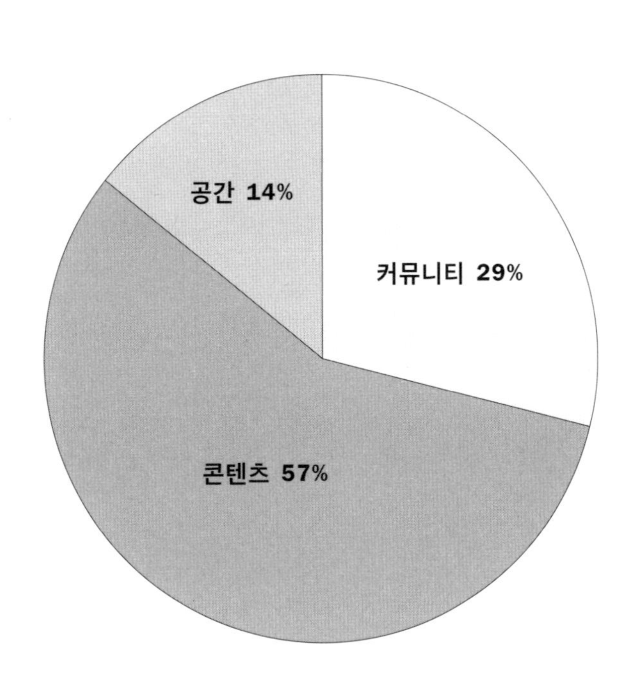

프로그램 구성비

둘째, 깡깡이예술마을은 공간 조성, 콘텐츠, 커뮤니티 영역에서 문화예술단체가 가진 국내외 네트워크를 활용하여 다양한 분야의 전문가, 예술가들과 폭넓은 협업을 시도한 사례이다. 기존의 도시재생사업에서는 건축과 도시계획을 중심으로 문화예술 분야와 협력하더라도 공공예술이나 벽화사업 등 한정된 영역에서 예술가들과 협업하는 수준에 그치는 경우가 많았다. 깡깡이예술마을과 연계사업 5년 동안의 협업 사례를 살펴보면, 시각예술과 공연, 문학과 출판, 영상과 디자인, 관광과 여행, 건축과 조경, 학술과 엔지니어 등 20개 이상 분야의 예술가와 전문가, 133명의 개인 또는 단체들과 협력사업을 진행했다. 이러한 폭넓은 협업은 커뮤니티 사업에서 제기되는 다양한 문제와 과제를 해결하기 위한 필수적인 과정이기도 했는데 이를 통해 사업의 완성도와 추진력을 높일 수 있었다. 중간 매개 조직으로서 사업단은 문화예술 사업을 맡은 예술국과 행정과 커뮤니티 사업을 맡은 사무국으로 업무를 분담하여 전문가와 예술가, 주민과 행정 사이의 의견을 조율하면서 다양한 프로젝트를 실행했다.

건축 전문가	인테리어 전문가	조경 전문가	선박 전문가	전시 기획자
공연 기획자	시각예술 작가	거리예술 작가	그래픽 디자이너	출판 전문가
사진 작가	만화 작가	뮤지션	영상/미디어팀	푸드스타일리스트
시인	소설가	연극/공연팀	역사/민속학자	여행전문가

분야별 다양한 전문가, 예술가와 협업

133명/팀	**프로그램 참여 예술인 및 단체** 깡깡이예술마을 조성사업 및 추가 연계사업 포함	**6개국**	**프로그램 해외 참여작가** 영국, 독일, 태국, 싱가폴, 일본, 프랑스

분야별 다양한 전문가, 예술가와 협업

셋째, 깡깡이예술마을은 공공기관의 주도로 입찰, 발주 형태로 이뤄지는 기존 도시재생사업의 방식에서 탈피하여, 행정, 주민, 민간단체 등 다양한 주체들이 협치 체계를 구축하고 초기 기획부터 실행까지 사업을 추진한 사례이다. 특히 민간단체가 주도하여 사업의 제안과 입안, 계획과 실행까지 일관된 흐름을 유지했고 다양한 연계사업까지 적극적으로 발굴하고 예산을 확보하여 사업의 지속성과 완성도를 높였다. 깡깡이예술마을 사업은 단순히 지역의 기능적 재편을 시도하는 것에 그치지 않고, 지역 주민의 삶의 질을 높이고 사업의 성과가 지역사회의 발전으로 이어질 수 있도록 장기적인 비전과 계획을 마련하는 데 노력을 기울였다. 깡깡이예술마을의 성과를 평가하면서 마을 주민들의 적극적인 역할을 빼놓을 수 없다. 특히 마을자치조직인 <㈔대평동마을회>는 사업 초기부터 사업단과 소통하면서 모든 사업에서 주민들의 관심과 참여를 이끌어냈고 사업이 종료된 현재까지도 직접 거점공간과 마을사업을 운영하고 있다.

깡깡이예술마을 사업에는 여러 가지 한계점도 존재한다. 도시재생사업의 대상지는 쇠퇴지역이어서 대부분 주민들의 연령대가 높다. 깡깡이마을에도 60대 이상 고령층들이 많은데 다양한 연령대의 주민 참여를 충분히 이끌어내지 못했다. 이런 조건에서 주민들이 짧은 사업 기간이 끝나고 나면 주체적으로 사업을 이끌어가기 어렵다. 깡깡이마을도 마을 주민들이 마을다방, 유람선 사업 등을 직접 운영하며 수익을 창출하고 있지만 전문적인 사업 영역에서는 독자적으로 대응하거나 새로운 성과를 만들어내기 힘들다. 지역의 현장은 여러 이해관계가 충돌하는 곳이고, 다양한 성향의 주민 구성원들이 있는 곳이다. 그렇기 때문에 이런 다양한 관계를 조율할 수 있는 매개자의 역할이 더욱 필요한 곳이다. 도시재생사업을 통해 제대로 지역발전이 이루어지기 위해서는 단위 사업들이 끝나더라도 공간 운영과 활성화 프로그램을 위한 예산 지원 및 지역재생 전문인력, 커뮤니티 매니저 등이 지역에서 계속 활동하면서 기존의 성과를 기반으로 새로운 활동들이 이어질 수 있도록 지원해야 한다.

돌이켜 보면, 깡깡이예술마을 조성사업은 실무에 참여한 입장에서도 쉽지 않은 과업이었다. 주민, 행정, 예술가들 사이에서 매개자로서 다양한 역할을 수행해야 했고, 사업의 지속성을 확보하기 위해 여러 연계사업들을 발굴하고 추진하는 일에도 시간을 쪼개 추가적인 노력을 기울여야 했다.

그러나 힘들었던 만큼 보람도 크다. 부산이라는 도시가 기억해야 할 역사적, 문화적 자산인 깡깡이마을의 가치를 재조명하고, 많은 사람에게 매력적인 지역문화의 힘을 보여줄 수 있었기 때문이다. 예전에는 부산 사람들에게조차 편견과 차별의 대상이었던 영도가 오늘날 새로운 장소로 많은 사람들의 기대와 관심을 끌고 있는 배경에는 깡깡이예술마을 사업의 성과가 기여한 바가 적지 않았을 것이라 믿는다.

하나의 도시재생사업이 끝나면 무엇을 성과로 봐야 할까? 주로 공동체 활성화, 관광 및 상권 활성화, 주민들의 지속가능한 운영 등을 성과를 가늠하는 지표로 거론한다. 조금 시야를 넓혀보면 사업에 참여한 민간단체, 행정, 주민, 예술가, 참여 시민 등 모든 주체들의 경험과 기억, 그 자체를 하나의 성과로 볼 수 있지 않을까. 깡깡이예술마을은 민간단체가 초기 기획부터 실행까지 주도적으로 참여하여 문화예술을 통해 도시재생을 시도한 사례이다. <문화예술 플랜비>는 이 과정에서 5년의 소중한 경험을 가지게 되었고, 행정 주체들이나 주민들도 마찬가지일 것이다. 도시는 앞으로도 계속 쇠퇴와 재생을 반복할 것이고, 도시재생사업도 성공과 실패를 되풀이하겠지만 새로운 실험의 경험들이 흩어지지 않고 더 나은 도시를 위한 미래의 역량으로 차곡차곡 쌓여가기를 바란다. 그런 면에서 이 과정의 기록 또한 의미를 가질 것이다.

1 이승욱 <커뮤니티와 예술, 도시재생과 문화매개자의 역할> 발표 자료에서 인용

깡깡이예술마을과 연계사업 추진 과정

□ 깡깡이예술마을 조성사업(부산시, 35억)

■ 사업단 추가연계 사업
(영도구청, 문화체육관광부, 한국예술위원회, 26.1억)

＊ 플랜비-문화예술 플랜비 단체이름으로 지원 연계한 사업

2015년 4월 - 2016년 4월
예술상상마을 공모 선정과 추진체계 정립

2015.2	2015.8
부산시 <예술상상마을> 공모	영도구 최종 선정(35억)

2016년 5월 - 12월
커뮤니티프로그램의 시작과 마스터플랜 수립

2016.5	2016.9	2016.12
문체부 생활문화센터 조성사업 선정(+2.5억)	마을브랜드, 문화사랑방, 물양장살롱 정기진행, 마을신문『만사대평』 정기발행	생활문화 조사보고서 및 마스터플랜 수립 완료

2017년
도시를 기록하고, 창의적으로 해석하는 문화콘텐츠 제작

2017.3		
퍼블릭아트 1차 조성완료	마을커뮤니티센터 (생활문화센터) 1차 준공 및 운영	한국문화예술위원회 국제교류사업 부산-셰필드 인터시티 아트프로젝트 선정 (+0.8억/＊플랜비) 부산시 다복동 안심마을 사업선정(+1.5억)

2018년

기억의 공간들을 문화공간으로 재생, 활성화

2018.3

마을 커뮤니티(생활문화센터)
2차 준공 및 운영

- 깡깡이오버씨프로젝트 음원, 카툰, 그래픽노블 제작
- 『깡깡이마을 100년의 울림 역사, 산업, 생활』 3권 발간 등 콘텐츠 제작 완료

- 2018 지역문화 대표브랜드 선정(+0.3억)
- 문체부 산업관광활성화사업 선정(+10억)
- 문체부 문화적 도시재생사업 선정(+1.6억)

2018.8

- 영도 도선복원 바다버스 아트작업
- 복합안내센터 준공 및 운영
- 마을박물관, 마을공작소 준공 및 운영
- 『깡깡이예술마을 가이드북』 발간

2018.9

대평동 마을회 사단법인으로 전환
마을거점공간 운영 사업 추진
(바다버스 2019년 5월 승인)

2018

- 문체부 산업관광활성화사업 진행
- 해상투어-선박체험관 조성 및 바다버스 운영
- 마을 투어-길 투어, 조선소/공업사 영상기록, 제작체험, 오픈팩토리 투어

2018.3-12

- 문체부 문화적 도시재생사업 진행
- 예술가의 밥상, 메이커스 프로젝트, 『대평동 공업사를 만나다』, 『부끄러버서 할말도 없는데』 단행본 발간

2018.12

영도구 <예술과 도시의 섬 영도>
문체부 문화도시 조성사업 예비도시 선정

2019년

깡깡이예술마을에서 영도문화도시로

2019.2-12

- 영도 문화도시 예비사업 진행
- 마스터플랜 수립 및 『다리너머영도』 잡지 제작 (+1.2억)

2019.3-11

- 한국문화예술위원회 신나는예술여행 사업 남항 바닷길 축제 진행 (+3억/＊플랜비) 플로팅스테이지, 도시와 예술, 바다와 사람들

2019.4-2020.3

- 문체부 문화적 도시재생사업 진행(+2.5억)
- 절영마 행진, 단행본 『영도 타향에서 고향으로』 발간, 문화콘텐츠형 투어프로그램, 도시문화기획자 아카데미, 영도 문화사랑방 개최

2019.12

- 영도구 <예술과 도시의 섬 영도> 문체부 문화도시 조성사업 최종 선정 (+향후 5년 160억)

도시

재생

"깡깡이마을에 녹아있는 지난 백여 년간 내려온 기술성과 장소성은 무엇과도 비견될 수 없는 가치다."

"깡깡이예술마을은 '재생됐다'는 완료형이 아닌, 사업이라는 마중물이 지나고 난 뒤에도 여전히 살아 움직이고 있다."

"영도는 깡깡이예술마을을 성찰적으로 참고, 활용한다면 리버풀이나 빌바오와 어깨를 견줄 수 있는 성공사례가 될 것이다."

도시재생의 관점에서 바라보는 깡깡이예술마을

우신구

서울대학교 건축학과에서 학사, 석사, 박사학위를 받았으며, 현재 부산대 건축학과의 교수이다. 부산의 상업지역, 산복도로, 정책이주지에 대한 학술 연구를 바탕으로 도시재생, 마을만들기, 공공공간과 관련된 다양한 프로젝트에도 직접 참여하여, 주민참여형 계획수립부터 사업실행, 유지관리 및 모니터링까지 코디네이팅과 컨설팅을 실천하고 있다.

영도와 대평동 깡깡이마을

1876년 개항 이후 부산은 조계지를 중심으로 일본인들의 거주가 증가하였고, 1910년 한일병합으로 일본의 대륙진출 관문도시가 됐다. 조계지가 있던 용두산을 중심으로 시가지는 차츰 성장했지만, 시가지를 에워싼 천마산, 구덕산, 구봉산은 도시의 성장을 가로막았다.

영도는 과거 말들이 뛰노는 목장으로 이용됐지만, 부산의 성장과 함께 적극적인 도시적 기능을 맡게 됐다. 봉래산 북측, 지금의 대평동과 봉래동 해안은 매립이 진행되어 기존 시가지에서 넓은 부지를 찾지 못한 조선소, 공장, 창고 등의 산업시설이 하나둘씩 들어섰다. 1934년 영도다리 개통 이후엔 대규모 조선소도 세워지고, 주택가가 형성되면서 영도는 명실상부한 부산 도심의 일부로 자리 잡았다.

영도의 인구는 해방 이후 한국전쟁을 거치면서 급증했고 1960년대부터 1980년대까지 영도의 조선산업, 수산업, 항만 관련 산업이 지속적으로 발전하면서 21만을 초과할 정도로 증가했다. 특히 조선업은 영도뿐만 아니라 부산을 대표하는 산업으로 성장했다. '대한조선공사한진중공업 및 HJ중공업의 전신'로 대표되는 대형조선소는 봉래동 해안에 자리 잡았고, 수리조선을 주로 하는 중소조선소는 대평동 해안에 밀집했다. 중소 선박은 정기적으로 수리조선소를 찾아 거친 바다를 운항하면서 생긴 선체 하부의 녹과 거기에 달라붙은 따개비 등의 조개류를 제거하는데, 이때 '깡깡'하는 망치 소리가 대평동 해안 일대를 가득 메웠다. '대평동뿐 아니라 근처 봉래동, 남항동 할 것 없이 영도 전체가 다 대평동 때문에 먹고 살았죠'[1]라는 사람들의 기억처럼 대평동 수리조선산업은 영도 경제의 엔진 역할을 했다.

하지만 1990년대 이후, 영도의 발전을 견인했던 조선산업을 비롯한 여러 산업은 차츰 쇠퇴했다. 경쟁력을 상실한 업체는 하나둘 사라졌고, 성장하는 산업체는 섬이라는 특성 탓에 시설을 확장할 부지를 찾지 못해 어쩔 수 없이 다른 지역의 공단으로 이전했다. 2022년에 발표된 부산상공회의소의 조사보고서를 보면 부산의 16개 자치 구군 중, 영도구는 전 산업 부가가치액에서 최하위를 차지할 정도로 산업의 규모가 줄어들었다. 한때 부산을 대표하던 산업지역이 이제는 가장 경제적 활력이 낮은 지역이 된 것이다.

영도의 주거지가 노후화되고, 해운대, 수영, 동래 등 동부산 지역이 발전하면서 사람들은 영도를 떠나기 시작했다. 21만을 넘겼던 인구는 절반 정도 감소하여 2022년 현재 10만을 조금 넘는 수준이다. 대평동에는 이제 중소 수리조선소와 영세한 부품판매점 및 제작사, 철공소 등만 남았다. 노동자들로 빌 틈이 없었던 셋방도 점점 빈방으로 변해갔다. 동네 상점도 하나둘 문을 닫았고, 병원과 약국이 떠나면서 고령이 된 주민들의 생활은 점점 불편해졌다. 형편이 되는 사람들은 마을을 떠났고, 그렇게 빈방과 빈집이 점점 늘어갔다.

부산 원도심 도시재생

산업쇠퇴와 인구감소는 영도구에만 일어난 현상은 아니다. 1990년대 중반 이후부터 영도구와 인접한 중구, 서구, 동구, 즉 부산의 원도심 지역 전체에 공통적으로 도시 쇠퇴 현상이 발생했다. 60년 넘게 영도다리 입구를 지키고 있던 '부산시청'은 1998년 '부산경찰청'과 함께 청사를 중구 중앙동에서 연제구 연산동으로 옮겼다. 시청 인근에 있던 '부산MBC'도 같은 해 사옥을 수영구 민락동으로 이전했다. 부산 최고의 상업 거리인 광복로의 한 가운데에 자리 잡고 50년 가까이 지역을 대표했던 '미화당백화점'은 1997년 최종 부도를 내고 사라졌다. 부산의 전통상권이었던 국제시장, 자갈치시장, 부평시장 등도 과거에 비해 그 활기가 눈에 띄게 감소했다. 이처럼 원도심에 있던 각종 공공기관과 기업 그리고 산업과 상업시설들이 떠나자 사람들도 새로운 일자리를 찾아 떠나면서 인구는 감소했고, 그만큼 빈집들이 늘어났다.

2010년, <부산시> 민선 5기 시장으로 당선된 허남식 시장은 원도심 재창조를 10대 메가프로젝트 중 하나로 선정했고, 창조도시본부를 신설해 다양한 도시재생사업을 추진했다. 도시활력증진사업이나 뉴타운 해제지역 재생사업 같은 전국적인 사업 이외에도, 강동권 창조도시사업, 행복마을사업, 희망마을사업, 철로변 낙후마을 재생 등 부산의 독자적인 재생사업을 시행했다. 대표적인 사업이 '산복도로 지역에 살고 있는 다양한 계층을 함께 포용하고 산복도로가 가지고 있는 공간·문화·경관·역사적 자산을 보존하면서, 정주환경을 개선하고 마을경제를 회복하는 새로운 방식의 종합재생사업'인 '산복도로 르네상스' 사업이다. 이 사업은 시정연구원인 부산연구원에서 마스터플랜을 수립하여 중구, 서구, 동구, 부산진구, 사하구,

사상구에 걸쳐 분포하는 부산의 산복도로 지역을 3개의 권역, 8개 구역으로 나누어, 2011년부터 2020년까지 10년 동안 매년 150억, 총 1,500억 원을 투입하는 광범하고 야심찬 도시재생사업이다. 부산시가 이처럼 다른 지방자치단체들보다 앞서 2010년부터 도시재생사업에 본격적으로 착수한 것은 2013년 '도시재생활성화 및 지원에 관한 특별법'이 제정되기도 전이라는 점에서 상당히 선진적인 행정이었다고 평가할 수 있다.

2014년 민선 6기 시장으로 당선된 서병수 시장[2] 역시 동부산에 비해 낙후된 원도심 지역을 적극 지원하겠다는 취지에서 '서부산시대'를 기치로 내걸고 다양한 원도심 도시재생정책을 도입했다. 그중 2015년 공모한 '예술상상 마을'은 기존 '산복도로 르네상스' 사업에 대한 주민참여 부진, 관 주도의 일방적 시혜성 사업이라는 비판을 극복하려는 시도였다. 인프라가 조성된 지역의 주민과 예술단체, 자치구가 협력해 공모하는 독특한 방식을 채택했으며, 3년 동안 35억 원의 예산을 지원하여 '폐가나 공가를 활용해 예술인들의 창작 공간을 조성함으로써 지역의 문화 역량을 높이고 마을의 경제활동과 일자리까지 연계될 수 있는 사업'을 목표로 했다.

영도구는 '영도 깡깡이 대풍포 예술촌'이라는 사업명으로 대평동 일원에 예술가를 위한 예술점방, 필드뮤지엄 등 예술창작공간, 지역주민협의체가 운영할 마을 커뮤니티센터, 도시 민박촌 등 공동체 시설을 조성하고, 주변 국제시장, 자갈치시장, 영도대교, 흰여울 문화마을, 태종대 유원지, 국립해양박물관 등 풍부한 관광자산을 기반으로 영도바다택시 투어 등 관광객에게 즐길거리와 볼거리를 제공하려는 사업계획서를 제출하여 동래구, 동구와의 경쟁을 뚫고 선정됐다. 깡깡이예술마을의 출발이다.

도시재생으로서 깡깡이예술마을

2015년 공모에 선정된 깡깡이예술마을은 이듬해 사업에 착수하여 2018년에 완료한 뒤, 2019년에 성과보고서를 출판했다. 이렇게 시간이 많이 경과한 것은 사업이 부진했기 때문이 아니라 도시재생사업 자체의 특성에서 비롯된 것이다. 도시재생은 쇠퇴한 지역을 되살리는 다양한 도시적 스케일의 정책과 사업을 총칭하는 용어다. 우리나라의 '도시재생 활성화 및 지원에 관한 특별법' 제2조에는 도시재생을 아래와 같이 정의하고 있다.

> ‘도시재생’이란 인구의 감소, 산업구조의 변화, 도시의 무분별한 확장, 주거환경의 노후화 등으로 쇠퇴하는 도시를 지역 역량의 강화, 새로운 기능의 도입·창출 및 지역자원의 활용을 통하여 경제적·사회적·물리적·환경적으로 활성화시키는 것을 말한다.

여기서 ‘지역 역량의 강화, 새로운 기능의 도입과 창출, 지역자원의 활용’은 도시재생의 방법론에, ‘경제적·사회적·물리적·환경적으로 활성화’는 도시재생의 목표에 해당한다. 이런 점에서 도시재생사업은 단순히 건물이나 골목을 정비하거나 신축하는 여타 물리적 사업과 큰 차이가 있다. 도시재생사업으로서 깡깡이예술마을을 살펴보기 위해 바로 이 도시재생의 방법론과 목표라는 관점에서 사업의 과정과 성과를 검토해보고자 한다.

도시재생 방법론 1 -지역역량의 강화

사람들이 떠나가는 마을에서 공동체가 지속되기는 어렵다. 어떤 단체를 결성하고, 정관을 만들고, 회비를 내고, 정기적 행사를 개최해야 공동체가 되는 것은 아니다. 걸어서 갈 수 있는 가까운 거리에 살면서, 서로 안부를 묻고, 때로는 어려운 일을 부탁하고, 또 때로는 몰래 도움도 주면서 서로 의지하면서 사는 사람들 사이에는 오랜 시간 동안 상호작용을 통해 자연스레 정서적 친밀감과 유대감이 형성된다. 일종의 느슨한 지연 공동체를 이루는 것이다.

대도시 부산의 한 지역이지만 대평동에는 일찍부터 <대평동마을회>라는 독특한 주민조직이 있었다. 1950년대 마을의 유지들이 돈을 모아 일제강점기가 남긴 적산 부지를 불하받아 공동재산으로 이용했다. <대평동마을회>는 이 부지를 활용하여 시장, 주차장, 마을 유치원을 운영하면서 수익을 냈고, 그 수익을 활용하여 동민체육대회, 정월대보름 길놀이와 같은 마을 축제를 오랫동안 개최했을 뿐만 아니라, 마을청소, 방역, 음식 나눔, 불우이웃돕기 등 마을을 돌보는 다양한 활동을 이어왔다.[3] 하지만 마을회의 활동은 1997년 IMF사태를 겪으면서 생계가 어려워진 주민들의 참여가 점차 줄어들었고, 대평동이 행정동인 남항동으로 통합되면서 점차 위축될 수밖에 없었다.

깡깡이예술마을은 위축되었던 대평동 주민들의 마을활동을 다시 활성화하는 계기가 됐다. 공공예술작품을 설치할 때에도 기획 단계부터 주민들의 요구를 반영하려고 노력했으며 제작, 설치에 이르기까지 주민들의 의견을 수렴하여 작품에 대한 주민들의 관심을 모으고 주민들이 활용할 수 있도록 했다.

특히 주민들은 단순히 수용자가 아니라, 적극적인 참여자로 많은 프로그램을 진행했다. 주민 중심의 동아리 활동이 그 대표적인 사례다. '깡깡이 생활문화센터'에서는 '시화 동아리', '댄스 동아리', '마을해설사 동아리', '마을정원사 동아리', '마을다방 동아리' 등 다양한 동아리 프로그램을 운영했는데, 이를 통해 조금씩 역량을 키운 주민들은 직접 쓰고, 그린 시화작품으로 전시회를 열고, 시집을 발간했다. 6명의 할머니는 마을축제에서 자신의 이야기를 몸짓으로 표현한 춤을 선보였고, 마을기자와 해설사가 된 주민들은 매월 마을신문을 발간하고, 외부 방문객들에게 마을을 안내하는 투어 프로그램을 진행했다.

한 공간에 자주 모이고, 뭔가를 함께 배우는 과정에서 주민들은 같은 마을에 사는 공동체라는 의식을 가지게 된다. 그런 공동체 의식은 우리 마을을 조금 더 좋게 만드는 일에 힘을 모으는 행동으로 이어진다. 마을정원사를 꿈꾸는 주민들은 예술가들과 마을 빈터에 쌈지공원을 조성했고, 골목길 곳곳에 화단을 꾸몄다. 바리스타 자격증을 취득한 주민들은 새로 조성된 마을다방과 공동체 부엌을 운영하고 있다.

도시재생 방법론 2 -지역자원의 활용

도시재생은 그 지역이 가지고 있는 고유의 자원을 활용하여 새로운 상품이나 서비스를 만들어 내거나, 지역에 숨어 있는 잠재력을 발굴하여 마을을 활성화하는 새로운 에너지로 전환하는 작업을 강조한다. 하지만 도시재생을 위한 지역의 자원이나 잠재력을 발견하거나 결정하기는 쉽지 않다. 첫 번째 이유는 한 지역 또는 마을의 자원이나 잠재력은 매우 다양하기 때문이다. 마을의 역사, 생활, 문화, 전통, 공예, 공간, 장소, 설화, 인물, 나무, 지형, 지리 등 자원은 무궁무진하다. 두 번째 이유는 자원을 보는 관점이 다르기 때문이다. 예를 들어 마을 주민들이 중요하게 생각하는 자원이 외부 사람들에게는 평범하게 보일 수 있으며, 주민들은 마뜩잖게 여기는 마을의 모습이 방문객들에게는 호기심을 자아내는 독특한 특성일 수 있다.

그러므로 도시재생의 출발점은 지역에 어떤 자원이 있는지 조사하는 작업이다. 깡깡이예술마을에서 사람들이 가장 관심을 두지 않는 프로젝트 중 하나는 아마 깡깡이예술마을 교양서 시리즈일 것이다. 『깡깡이마을, 100년의 울림』이라는 제목으로 겉으로 드러나지 않은 대평동의 미시적 역사, 산업 그리고 생활을 다룬 총 3편의 책자를 출간했다. 뿐만 아니라 대평동의 공업사를 운영하시는 분들과 주민, 그리고 이주민들의 이야기를 듣고, 기록하여 단행본으로 출간했다. 주민들의 가슴속에 간직해 둔 기억과 추억은 시간이 지나면 하나둘 사라진다. 하지만 종이에 활자로 기록된 주민들의 기록은 언젠가 누군가에 의해 소환되어 다시 회자되고, 유통되며, 활용되는 마을의 진정한 자원이 된다. 그런 점에서 '깡깡이예술마을'을 계기로 채굴되고, 기록되어, 보존된, 대평동 일원에서 살아 온 사람들의 속 깊은 이야기, 그리고 철공소, 공업사, 부품사 등 대평동 수리조선 산업의 복잡한 생태계의 육성이야말로 대평동의 가장 소중한 자원일 것이다.

깡깡이예술마을 사업에 참여한 작가들은 마을에서 발굴한 다양한 자원을 각자의 방식으로 활용하여 공공예술작품들을 제작하고, 마을 곳곳에 설치했다. 선박의 키와 조타기, 닻, 프로펠라와 위성돔 안테나, 모루와 망치, 기어 톱니바퀴 등 마을에서 흔히 마주칠 수 있는 수리조선 관련 물품들은 예술가들의 손을 거쳐 벤치로, 정원으로, 가로등으로, 그리고 현판과 벽화로 승화됐다. 대평동과 인연이 있는 가수 최백호는 깡깡이마을을 주제로 '1950 대평동'이란 노래를 만들기도 했다. 부산에서 널리 알려진 인디밴드 스카웨이커스도 '깡깡30세'라는 곡을 만들어 대평동을 알리고 있다.

대평동의 자원을 활용한 가장 가시적인 성과는 '깡깡이 생활문화센터' 2층에 자리잡은 대평동 마을박물관이다. 마을 곳곳에서 발견된 대평동의 생활문화와 산업유산들은 실물자료로, 마을의 이야기, 소리, 풍경 등은 만화나 음원, 영상으로 제작되어 방문객들이 깡깡이마을을 통시적, 입체적으로 경험할 수 있도록 마을박물관에 전시됐다. 마을박물관 프로젝트가 건물 내부에 한정되지 않는다는 점도 흥미롭다. 사람들의 통행량이 많은 조선소의 높은 벽에는 깡깡이마을의 역사를 화가와 조각가가 함께 조형적으로 설명하는 거리박물관 전시작품을 설 치했다.

박물관의 가장 생생한 자료는 실제 마을의 공간, 건물 그리고 사람들이다. 어쩌면 깡깡이마을 자체가 부산의 근현대역사를 담은, 여전히 살아있는 현장박물관, 즉 에코뮤지엄일 것이다. 그러므로 깡깡이마을의 역사와 이야기, 그리고 공공예술작품들을 안내하는 '깡깡이 가이드북'은 깡깡이마을을 에코뮤지엄으로 바꾸어주는 박물관 안내자의 역할을 하고 있다.

깡깡이마을이 가진 또 한 가지 자원은 주민들에게는 너무 익숙해서 특별한 자원으로 여기지 않았을 배와 바다다. 어쩌면 그들에게 배와 바다는 잠시 잊고 지내고 싶은 고된 생활현장이었을지도 모른다. 하지만 내륙에 사는 사람들에게 바다는 언제나 가보고 싶은 그리움의 대상이다. 부산의 남항과 같은 내항에 정박해 있거나 부지런히 오가는 크고 작은 선박들은 남녀노소를 불문하고 호기심의 대상이다. 깡깡이예술마을은 오랫동안 운영되지 않았던 대평동 도선선착장을 활용하여 '신기한 선박체험관'과 더불어 자갈치로 오가는 '깡깡이 유람선'을 운영하고 있다.

도시재생 방법론 3
-새로운 기능의 도입

과거에 비해 많이 쇠퇴하고 영세해졌지만, 영도 대평동에는 여전히 8개의 수리조선소를 중심으로 300여 개에 달하는 공업사와 선박부품업체가 모여 수리조선업 생태계를 형성하고 있다. 선박은 그 특성상 동일한 모델이 대량 생산되는 것이 아니라, 선주로부터 개별 주문을 받은 조선소가 서로 다른 크기와 형태의 배를 개별 생산하기 때문에 엔진 등의 수리에 필요한 자재나 부품을 구하기 어렵다. 대평동의 다양한 부품 판매 및 제작업소와 공업사는 이처럼 다양한 선박의 수리에 필요한 부품과 자재를 제작하거나 공급함으로써 수리조선업의 메카를 지탱해 왔다.

그럼에도 대평동의 정체성과 같은 수리조선산업이 차츰 쇠퇴하고 있는 것도 현실이다. 조금만 주의를 기울이면 지역의 쇠퇴를 금방 알아차릴 수 있다. 깡깡이 소리가 줄어든 만큼 길을 따라 늘어선 공업사 사이사이에 빈 점포가 증가하고 있으며, 골목 안쪽으로 이미 빈집이 즐비하다.

깡깡이예술마을은 이처럼 차츰 쇠락해가는 대평동 일원에 새로운 변화의 촉매 역할을 했다. 우선 철물과 공구, 그리고 작업 소음으로 가득한 동네 곳곳에 예술가들이 제작한 공공예술작품들을 설치했다. 구름 모양의 가로등이 골목 여기저기에 세워졌고, 부두 옆 창고와 공장 외벽은 그래픽 페인팅 작업을 통해 새로운 경관으로 변신했다. 버스정류장에는 버스를 기다리는 주민들이 잠시나마 쉴 수 있는 벤치조형물을 설치했다. 대평동의 중심가로인 대평로가 바다에 막혀 끝나는 부분엔 각종 선박 부품들을 소리와 영상으로 결합한 작품이 설치되어 대평로의 끝을 표시하는 작은 랜드마크가 됐다. 마을을 먹여 살렸던 산업부품들은 슬그머니 예술작품이 되어 마을 곳곳에 설치되면서 깡깡이마을의 이미지는 조금씩 변화했다.

깡깡이예술마을이 주민들과의 소통과 참여를 위해 추진한 댄스, 민요, 자서전, 시화, 정원사, 사진, 마을신문 등 다양한 프로그램은 주민들의 문화예술활동 참여 범위와 시간을 확대했다. 이처럼 마을의 풍경이 바뀌고 주민들의 생활이 변화하면서, 생소하게 들리던 깡깡이예술마을이라는 명칭도 조금씩 주민들에게 익숙해졌을 것이다.

마을의 모습이 변하자 마을을 찾는 사람들도 점차 다양해지기 시작했다. 과거에는 산업 관련 업무나 일자리와 관련된 사람들 외에는 방문객이 없었지만, 마을에 설치된 벽화나 예술작품을 보기 위한 방문객들이 조금씩 증가하고 있다.

마을을 찾아오는 새로운 방문객들을 위한 큰 변화의 계기는 <문화체육관광부>가 지원하는 '산업관광활성화사업'에 선정되어 추진한 '깡깡이 안내센터', '신기한 선박체험관' 그리고 '깡깡이 유람선' 사업이다. 마을의 역사와 이야기 그리고 공공예술이 있는 장소들을 둘러보는 깡깡이예술마을 해설투어와 유람선을 타고 남항 일대를 둘러보는 깡깡이해상투어는 다른 도시 사람들뿐만 아니라 오랫동안 이 지역에서 살아온 부산 시민들에게도 특별한 경험을 제공한다. 일반인에게는 방문이 금지된 수리조선소의 이면, 먼발치에서 구경만 할 수 있었던 남항과 자갈치 시장, 공동어시장의 풍경을 유람선 위에서 찬찬히 살펴보는 것은 깡깡이예술마을에서만 경험할 수 있는 독특한 체험이다.

깡깡이마을에 찾아온 문화예술은 마을의 모습을 바꾸고, 독특한 경험을 제공하면서 새로운 방문객을 유치하고 있다. 코로나19로 인한 거리두기가 완전히 사라지고 일상이 완전히 회복되면 마을을 찾는 방문객은 더욱 늘어날 것으로 예상된다. 쇠퇴하고 있는 마을경제도 관광객 증가로 새로운 활기가 돌 것으로 기대된다. 깡깡이예술마을은 마을의 전통적인 수리조선업을 그대로 유지하면서 산업관광이라는 새로운 기능을 더하고 있다.

영도 깡깡이예술마을 도시재생의 성과와 과제

대평동 일원에서 전개했던 깡깡이예술마을 조성사업은 행정적으로 2018년 완료되었으나, 이로써 이 지역의 도시 재생이 종료된 것은 아니다. 하나의 도시, 하나의 지역을 다시 활성화하는 것은 하나의 사업으로 쉽게 달성할 수 없다. 도시쇠퇴는 오랜 시간에 걸쳐, 다양한 요인들이 누적되어, 천천히 그리고 지속적으로 진행되어 온 구조적인 현상이기 때문이다. 도시재생을 주관하는 <국토교통부>는 사업계획을 수립할 때, 다른 중앙부서에서 추진하는 다양한 사업과 연계하거나 융복합하는 계획을 장려하고 있다.

깡깡이예술마을도 <부산시>가 지원한 '예술상상마을' 사업만으로 이뤄진 것은 아니다. 사업추진을 위해 마을에 상주했던 사업단은 <영도구>와 함께 깡깡이마을에 적용할 수 있는 다양한 공공사업들을 유치했다. <문화체육관광부>가 지원하는 '생활문화센터 조성지원사업(2016)', '산업관광 활성화 사업(2017)', '문화적 도시재생사업(2018)' 등은 대표적 연계사업이라고 할 수 있다. 이러한 연계사업은 '예술상상마을' 사업에 선정될 당시 결정되었던 '영도 깡깡이 대풍포 예술촌'계획의 사업내용, 사업기간 그리고 사업예산이 가진 약점을 보완할 뿐만 아니라 사업의 성과와 영향을 확산시키는 중요한 역할을 했다.

깡깡이예술마을이 거둔 중요한 결실 중 하나는 2019년 <영도구>의 '법정문화도시' 지정이다. <문화체육관광부>가 주관하고, 5년에 걸쳐 160억의 국비와 지방비가 투입되는 이 사업은 영도 전체를 대상으로 하는 사업이지만, 깡깡이예술마을에서 출발했다고 봐도 과언이 아니다. 대평동 깡깡이예술마을에서 촉발된 문화예술적 변화가 '생활문화센터 조성사업', '산업관광 활성화 사업' 그리고 '문화적 도시재생사업' 등으로 이어졌고, 그로 인한 지역의 변화와 지역의 역량을 모아 '예비문화도시'를 거쳐 '법정문화도시'로 선정됐다.

한편 영도구가 문화도시로 선정된 2019년, 깡깡이예술마을 사업이 진행된 영도구 대평동 2가 일대 48만m²의 지역은 <국토교통부>가 지원하는 '경제기반형 도시재생사업'에도 선정됐다. 이 유형의 도시재생사업은 우리나라에서 지원하는 도시재생사업 중 가장 규모가 큰 사업이다. 2020년부터 2024년까지 5년에 걸쳐 국비 250억, 지방비 250억, 부처연계사업 1,071억, 민간투자 225억, 공공기관 170억 등 총 1,967억 원이 투입되는 대규모 도시재생사업이다. 이 도시재생사업 역시 대평동의 쇠퇴하는 수리조선산업에 주목하여, 재래식 기술과 인력에 의존하는 산업을 고도화하고, 필요한 인력을 양성하여 경제적 활력을 다시 회복하려는 목적을 가지고 있다.

주요 사업 내용으로는 지역의 유휴공간을 활용한 '수리조선 혁신센터' 건립, 3D 스캔 기술로 도면이 없는 선박 기자재 및 부품 도면 역설계와 제작 첨단화 지원, 그리고 수리조선소와 공업사 사이에 수리·정비 수요 및 부품재고에 대한 정보 공유 시스템 구축 등이 있다. 또한 우리나라 최초의 근대식 조선소를 매입하여 '수리조선 기술센터'를 조성하고, 숙련된 장인들의 기술을 전수하는 현장 중심 인력 양성 프로그램을 운영한다. 그 외에도 수리조선산업에 종사하는 노동자를 위한 복지센터와 취·창업 지원센터 및 50가구 규모의 행복주택공급, 깡깡이마을 환경개선사업 등도 포함되어 있다. 비록 이 도시재생사업은 <영도구>가 아닌, <부산광역시>가 주관하여 사업계획서를 작성하고 공모에 선정됐지만, 이 지역이 도시재생사업 지역으로 선정된 밑바탕에는 깡깡이예술마을로 거둔 다양한 성과가 전제되어 있었고 특히 깡깡이예술마을이라는 대평동의 새로운 지역 브랜드가 큰 역할을 한 것은 잘 알려진 사실이다.

깡깡이예술마을의 지난 7년을 돌이켜보면, 2015년 <부산시>가 지원하는 소규모 도시재생사업 '예술상상마을'이 <문화체육관광부>가 지원하는 가장 대담한 사업, '법정문화도시'의 선정으로 이어졌고, 이후 <국토교통부>가 지원하는 대규모 도시재생사업인 '경제기반형 도시재생사업'이란 결실을 거뒀다. 도시재생이 지향하고 있는 경제적, 사회적, 물리적, 환경적 활성화로 차츰 확산하고 있는 것이다.

이러한 과정이 결코 순탄하게 진행된 것만은 아니다. '예술상상마을' 공모를 위해 <영도구>와 함께 사업계획을 준비하고, 선정 이후에도 깡깡이예술마을 사업의 실행뿐만 아니라 영도문화도시 준비와 선정에 이르기까지 중추적인 역할을 했던 <문화예술 플랜비>가 행정과의 갈등으로 문화도시 사업에 참여하지 못하는 어려움도 겪었다.

수십 년에 걸쳐 진행되어 온 도시쇠퇴에 대응하기 위한 도시재생사업은 여러 개의 단위 사업을, 서로 다른 추진 주체들이, 단절적으로 진행하는 것보다 공동의 목표를 향해, 서로 협력하면서 융복합적 사업으로, 지속적으로 추진하는 것이 훨씬 효과적이다. 현재 깡깡이예술마을을 중심으로 추진하고 있는 여러 사업도 도시재생의 장기적인 비전을 달성하려면 가장 먼저 협력의 플랫폼을 구성해야 한다. 특히, 문화도시와 경제기반형 도시재생사업을 추진하는 지원센터를 중심으로 주민과 행정 그리고 여러 협력 주체들을 아우르는 참여와 협업의 플랫폼를 구축하는 것이 가장 중요하다.

2022년 현재 '영도 문화도시사업'과 '영도 경제기반형 도시재생사업'이 진행되고 있지만 인구감소와 경제적 쇠퇴가 심각한 대평동을 비롯한 영도 전체에 얼마나 긍정적 효과를 거둘지 그 성과를 예단하기에는 아직은 이르다. 다만, 작은 예산으로 추진했지만 대평동의 지역 브랜드를 전국적으로 알릴 정도로 큰 성공을 거둔 깡깡이예술마을의 추진전략과 방식, 그리고 세부 사업들을 성찰적으로 참고하고 활용한다면 리버풀이나 빌바오와 어깨를 견줄 수 있는 한국적 성공사례가 될 것으로 기대한다.

1 깡깡이예술마을사업단, 『깡깡이마을, 100년의 울림-산업』, 부산광역시 영도구·영도문화원×호밀밭, 2017, p.115

2 서병수시장은 국회의원 시절 2013년 제정된 '도시재생활성화 및 지원에 관한 특별법'의 대표발의자로서 도시재생에 상당한 애정을 가지고 있었다.

3 깡깡이예술마을사업단, 『깡깡이예술마을 성과보고서』, 부산광역시 영도구, <문화예술 플랜비> 2019, p.20

주민들과 함께 만드는 깡깡이예술마을의 커뮤니티 공간

홍순연

근대 역사문화자원 보존활용을 연구해 박사학위를 받았으며, 현재 <㈜로컬바이로컬>의 대표이다. 지역의 자원과 사람의 모습, 이미지가 보존되어 있는 장소 영도에서 대통전수방, **AREA6**프로젝트, 모우자커뮤니티, 부산슈퍼 등 부산의 지역성을 바탕으로 한 작업을 이어가고 있다.

다리 너머 영도, 다양한 사람들이 모여 사는 장소

영도는 섬이다. 영도다리부터 비교적 최근에 만들어진 부산항대교까지 포함하면 4개의 다리를 건너야만 들어설 수 있는 곳이다. 다른 지역과 밀접하게 연결된 원도심 속의 섬은 육지로부터 떨어진 섬에 갔을 때 일반적으로 느끼게 되는 거리감이나 폐쇄적인 분위기가 많이 희석되기 마련이다. 그럼에도 불구하고 외지인이라는 말, 육지 사람이라는 단어를 듣게 되면 영도가 여전히 섬의 특성을 지니고 있다는 것을 느끼게 된다.

영도에는 다양성이 존재한다. 우선 공간적으로 바라보면 바다에서 봉래산 꼭짓점까지, 평평한 땅에서부터 산만디까지 여러 겹이 켜켜이 쌓여있는 모습을 가지고 있다. 그사이에 해무라도 걸치면, 마치 신비로운 신선의 형상으로 순간적으로 변신하는 모습을 우리는 종종 볼 수 있다. 다리를 건널 때는 어떤가? 작은 배들이 얼기설기 묶여 밀집해있고 뾰족한 트러스 지붕 구조가 열을 맞춰 서있는 물양장의 풍경, 거기에 수많은 소음이 뒤섞여 있는 산업경관도 영도의 또 다른 모습이다. 토지 활용의 관점에서 보면 전용공업지역에서 주거지까지, 여러 겹의 허리띠를 두른 것처럼 다양한 건축물이 빼곡하게 섬 전체를 싸고 있는 모습을 발견하게 된다. 그 속에 들어가 보면 제주은행, 제주도민회, 자리돔물회 등 제주와 연결되는 이름들을 심심찮게 볼 수 있고, 근대조선, 제염소, 도기 공장 등 근대 산업사의 주요한 시설들이 도심의 틈바구니에 여전히 무심하게 존재하고 있다.

영도는 참 넓다. 공간마다 특징이 존재하고, 저마다의 이야기를 가지고 있는 사람들이 모여 있다. 흰여울마을 뒤 영선동 미니아파트에 살고 있는 어머니들의 고향을 여쭤보면 제주, 영암, 삼척, 서울, 목포, 대전 등 출신지가 다르고 전국 각지의 말투를 들을 수 있다. 어머니를 부르는 호칭으로 출신지를 구별할 수 있다. 전국 각지의 사람들이 몰려들었던 장소이기 때문에 영도는 전국이 공존하는 장소이기도 하다. 그럼에도 불구하고 참 묘한 것이 자신의 이야기를 쉽게 드러내지 않는다는 것이다. 영도로 이주를 한 뒤 외지인을 동네사람 또는 우리로 인정하는 시간이 생각보다 오래 걸린다는 것을 깨닫는 순간들이 많았다. 예를 들면 항상 동네주민들은 어디서 왔냐고 물어본다. 이 질문은 영도에 살고 있어도 내가 아직 영도 사람은 아니라는 의미를 내포하고 있는 것처럼 들린다. 요즘에는 아들이 남항초등학교에 다니고, 동삼동으로 이사 왔다고 하면 '잘했다'고

말씀한다. 이 말은 영도 사람이 됐다는 의미이니까 긍정적인 표현으로 받아들일 수도 있지만, 아직 완전히 '영도사람'은 아니라는 의미도 포함되어 있다. 전국의 사람들이 모여 있으면서도, 진정한 영도 사람으로 인정받기까지 많은 시간과 낯섦의 거리감이 존재한다. 이곳에 처음 다양한 활동의 물꼬를 트기 시작한 것은 아마 2016년이 아닐까 싶다. 대통전수방, 깡깡이예술마을, 봉산마을 등 같은 영도임에도 서로 다른 속살과 색깔을 만들어가는 마을사업들이 시작됐다. 예를 들면 대통전수방은 장인, 청년, 일자리를 중심으로 커뮤니티를, 봉산마을은 마을 가드닝을 중심으로 마을 리빙랩 커뮤니티를, 깡깡이예술마을은 생활문화를 중심으로 커뮤니티를 만들어갔다. 이러한 다양성이 또 다른 영도의 매력이다.

그러다 보니 영도에서 사람을 만나고 관계를 형성하는 과정은 일반적인 커뮤니티와는 조금 다르다. 보통 커뮤니티는 외부와는 뚜렷한 경계를 가지고 내부에서는 다소 느슨한 결속력으로 결합하는 특성을 지닌다. 출신과 배경이 달라도 귀속의식과 연대성을 가진 사람들까지 지역사회를 확장해야 하지만, 이미 커뮤니티의 결속력이 강하게 형성된 곳에서 외지인을 포괄하기 위해서는 또 다른 과정이 필요하다. 영도의 독특한 특성을 고려하면 기존 커뮤니티의 정체성을 이해하고 구심점이 되는 사람들의 역할에 대해 존중하는 것에서 출발해야 한다. 이러한 태도를 가지지 못하면 영도에 살고 있어도 '영도사람'이 아니라 외지인으로 존재할 수밖에 없다.

주민 소통과 참여, 과정으로서 도시재생

이런 점에서 깡깡이예술마을 사업은 그동안 우리가 간과했던 커뮤니티의 형성과 확장의 과정에 대해 새롭게 돌아보게 했다. 보통 커뮤니티 사업을 진행하는 데 두 가지 방법이 있다. 첫 번째, 사업을 중심에 두고 추진하는 방식이다. 이 방식에서 커뮤니티의 결합은 행정을 중심으로 만들어진 지역의 다양한 추진위원회의 인사들, 통장과 반장, 소위 '지역리더'들의 참여와 규합을 뜻한다. 소수의 지역 대표들의 인지도를 활용하여 사업을 수행함으로써 비교적 짧은 시간 내에 조직적으로 목적사업을 원활하게 추진할 수 있는 장점이 있지만 주민들의 폭넓은 공감대를 형성하기에는 한계가 많다. 두 번째, 주민들과의 관계와 참여를 중심으로 사업을 추진하는 방식이다. 이 방식을 실현하기 위해서는 조사와 아카이빙, 소통과 조정을 위해 지난한 시간과 노력을 투여해야 한다. 사업 초기에 사업내용과 실행과정을 계획하는 과정에서 수정과 변경이 수없이 이뤄져야 하고 그만큼 진도는 더디기 마련이다. 이러한 방법론이 가장 이상적이기는 하지만 사업을 수행하는 중간조직 입장에서는 소모적인 부분도 많고 인력과 비용에 대한 고민도 많아지는 방식이다. 그럼에도 불구하고 깡깡이예술마을은 후자를 선택했다.

2019년 영도매거진 '비밀영도'의 인터뷰기사에 당시 깡깡이예술마을 하은지 기획팀장이 마을주민들과의 소통, 계획의 변경 과정에 대해 언급하고 있다.

> "공모사업에 선정되자, 먼저 주민들의 생활 문화를 조사한 내용을 바탕으로 마스터플랜을 세웠다. 10주에 걸쳐 매주 주민들과 만나며 실제로 필요한 것이 무엇인가에 대한 논의가 이어졌다. 예술을 테마로 삼은 공모사업에 채택된 것이지만 예술작품을 이용한 판매, 작가들이 주거하며 작품 활동을 하는 레지던시, 게스트하우스 운영을 염두에 뒀던 것이 실제로는 맞지 않다는 결론에 이르렀다. 대신 주택지가 적어, 공장이 문을 닫는 일과 시간 이후면 동네가 너무 어두워진다든지, 남항동으로 행정구역이 편입되면서 주민센터를 가기 위한 동선이 길어졌지만, 마을버스 노선은 하나밖에 없다든지 하는 불편함을 개선하는 방향으로 사업 내용이 선회한다."

예술가의 활동을 강조한 당초의 계획을 주민 친화 공간과 생활문화에 대한 내용으로 변경하고 다양한 이해관계자들을 설득하는 과정 또한 쉽지 않았을 것이라 짐작된다. 사업내용의 변경에 맞춰 거점 공간에 대한 계획도 새롭게 수정됐는데 그럴싸한 건물의 외형과 이미지를 구축하는 것이 아니라 지역 주민들이 다양한 활동을 진행할 기회를 제공하는 것, 공간에 담아낼 실제 내용에 충실한 계획을 수립했다. 특히 깡깡이예술마을에서 거점 공간과 주민 활동을 유기적으로 결합한 사업계획과 실행은 형식적으로 주민들과 소통하는데 그치는 경우가 많은 다른 지역사업과 뚜렷한 차별성을 보여준 지점이다.

깡깡이예술마을의 거점 공간 : 생활문화센터, 마을공작소, 안내센터

깡깡이예술마을에는 '깡깡이 생활문화센터'와 '깡깡이 마을공작소', '깡깡이 안내센터'까지 3개의 커뮤니티 공간이 있다. 각각의 커뮤니티공간은 서로 다른 기능을 가지고 있지만, 깡깡이예술마을이라는 공동체의 정체성을 잘 보여준다. 우선 '깡깡이 생활문화센터'는 카페 겸 다목적 문화공간의 기능까지 담당하는 1층의 마을다방과, 대평동의 역사와 이야기를 한눈에 볼 수 있는 전시공간인 2층 마을박물관으로 구성되어 있다. 보통 도시재생사업에서 주요한 거점을 매입해서 신축하는 방식이 아니라, 영도구청이 소유한 기존의 구)대평동사와 마을회의 공동자산인 구)대평유치원 및 마을회관과 부속시설을 합쳐 커뮤니티센터로 리모델링했다. 이 공간은 지역 주민의 일상과 문화예술을 연결하는 물리적 공간이자, 방문객과 지역을 연결하는 거점 공간으로 조성되어있다. 한 번에 100인분의 음식을 거뜬히 만들 수 있는 공유주방을 활용하여 '예술가의 밥상'이라는 이름으로 주민들과 예술가들이 함께 음식을 나누는 행사, 마을에 방문하는 단체 손님들에게 '동네엄마'들의 소박하지만 따뜻한 '집밥'을 제공하는 공간이기도 하다. 카페에는 마을다방이라는 이름이 붙여졌다. 원래 다방은 사람들이 만나는 장소이자, 서로 공통된 주제로 이야기할 수 있는 사랑방의 역할을 담당하는 곳인데 '깡깡이 마을다방'은 마을이 쇠퇴하면서 사라진 주변의 다방을 대신한다. 지금도 점심시간이 되면 선원과 주변의 공장 노동자들이 차를 마시며 이야기를 나누는 장소로 애용하고 있으며, 지역 주민을 위한 커뮤니티 공간으로 자리매김했다. 2층의 전시 공간 또한 이 지역에서 일하는 사람들의 이야기를 담아내고 실제 기술자들이 사용했던 다양한 공구들도 기증받아 전시하는데 일종의 수리조선 기술자들의 생생한 노동 현장을 엿볼 수 있는 도서관이라 할만하다. 이 마을의 상징인 깡깡이 아지매들의 이야기도 담은 여러 가지 콘텐츠를 볼 수 있는데 이 지역의 장소성을 잘 보여주는 생활사 박물관의 역할을 수행하고 있다.

그리고 이 지역의 오래된 근대 적산가옥을 리모델링하여 다양한 체험프로그램을 제공하는 '깡깡이 마을공작소'를 조성했다. '깡깡이 마을공작소'는 '마을목수 동아리'와 결합하여 방문객들에게 키트조립 체험을 제공할 뿐만 아니라 공구를 잘 다뤄 우리 동네 '홍반장'의 역할을 하는 마을목수들이 활동하는 거점이기도 하다. 실제 이곳에서 만들어진 벤치나 평상은 마을의 볕 좋은 장소에 놓여 동네어르신들에게 쉼터를 제공한다. 인근 봉래동 도시재생 대통전수방 사업을 수행할 때 우연히 동네에서 슈퍼마켓을 하시는 깡깡이마을 통장님의 이야기를 들은 적이 있다.

> **"우리 집 앞에 볕이 정말 잘 들어서 동네 할매들이 햇빛이 날 때 우리 집 앞에 모입니다. 근데 제 입장에서는 맘이 아파예. 할매들이 의자 하나 없어가 다 땅바닥에 종이 깔고 앉아 있는 모습을 보니…예산만 있으면 평상하나 만들면 좋겠어예"**

얼마 후 봉래동 대통전수방 주민공모사업에 대평동 주민들이 신청서를 냈다. 우리 입장에서는, '왜 대평동에서?' 대평동 주민이 봉래동에서 하는 주민공모사업에 신청한다는 것은 참으로 이례적인 일이었다. 면접을 보는데 <대평동마을회> 회장님이 오셔서 발표하였다.

> **"목재 값만 주면 우리 동네에서 다 만들 수 있다. 나중에 추가로 더 줄라고 안할 끼니까, 목재 값만 주면 매년 페인트칠하는 건 우리 마을에서 할게"**

신청 금액도 정확하게 목재값'만' 요청했다. 이런 신청서도 신기했지만 말만 하는 게 아니라 마을의 문제를 해결하기 위해 직접 팔을 걷어붙이는 주민 기획가와 실천가가 존재하고 있는 대평동의 모습이 부럽게 느껴졌다. 내부적으로 회의를 거쳐 '그래 우리 모두 영도 사람인데, 대평동, 남항동, 봉래동이 어디 있겠냐? 이번에 동네를 떠나 우리 모두 영도사람이라는 마음으로 지원하자'고 결론 내렸다. 대평동에서 이러한 주민 활동이 가능하게 한 장소가 바로 '깡깡이 마을공작소'이다. 이렇게 만들어진 마을평상은 골목이 좁아 평소에는 세워놓고 햇빛들 땐 펴는 방식으로 지금도 사용되고 있다. 소소하지만 주민들의 이런 소통과 배려를 통해 커뮤니티가 만들어진다는 것을 대평동 마을주민들은 몸소 보여주고 있다. 이러한 마을 실천가들이 모여 마을목수 동아리를 만들었고 '깡깡이 마을공작소'는 마을공동체의 생활인프라를 기획하고 만들어내는 역할을 담당하고 있다.

'깡깡이 안내센터'는 깡깡이예술마을에서만 볼 수 있는 독특한 커뮤니티

시설이다. 이 공간은 '깡깡이 유람선' 사업운영을 위해 필요한 터미널 기능을 수행하고 있고 주민들로 구성된 마을해설사가 활동하는 거점이기도 하다. 100년 전에 만들어진 부두 접안시설에 다양한 예술작품과 디자인을 더 해 이 지역의 특성을 잘 보여주는 독특한 경관을 만들어낸다. 배에 올라 주위를 둘러보는 것은 일반인들에게 새로운 경험을 제공한다. 특히 '깡깡이 유람선'이 영도다리를 거쳐 남항을 지나면서 조선소의 도크 위에 끌어올려진 선박을 수리하는 풍경들이 펼쳐지는데 남항 일대 산업경관을 한눈에 볼 수 있는 기회를 제공한다. '깡깡이 생활문화센터'와 '깡깡이 마을공작소'가 주민들의 일상을 담아내는 공간이라면 '깡깡이 안내센터'는 방문객들에게 이 마을의 역사와 변화를 보여주는 장소이다. 이 공간에서 활동하는 해설사들은 방문객들과 함께 마을의 곳곳을 돌아다니며 마을의 역사와 문화를 소개하는 역할을 담당한다. 최초의 근대적 조선소였던 '다나카 조선소'가 있던 자리, 옛 모습을 그대로 간직한 양다방, 조선소 담벼락에 설치된 거리박물관과 다양한 예술작품까지, 자신만의 경험을 담은 이야기를 전하는 마을해설사의 모습에는 마을에 대한 애정과 자부심이 묻어난다.

지속가능한 도시재생을 위하여

깡깡이예술마을의 3개 거점 공간은 단순히 물리적 공간을 지칭하는 것이 아니다. 사업의 결과물로서 남겨진 물리적 공간이 아니라 그 속에는 오랫동안 이 마을을 지켜왔던 사람들의 이야기와 발자취가 담겨 있고 지금도 이어지기 때문에 특별한 의미를 가지는 것이다. 일반적으로 도시재생의 거점 공간에서 가장 문제시되고 있는 것이 사업이 끝나고 나면 껍데기만 남고 관리와 운영이 제대로 되지 않는다는 점이다. 물론 도시재생사업들이 모두 관리운영계획을 세운다. 하지만 계획이 제대로 실행되지 않는 것은 실천하는 사람이 없기 때문이다. 조성된 거점 공간이 잘 운영되기 위해서는 사업의 초기부터 주체를 발굴하고 주민들의 참여와 역할을 높이기 위해 부단히 고민하고 노력해야 한다. 깡깡이예술마을에는 기존 <대평동마을회>라는 끈끈한 주민공동체가 존재했고 중간조직인 사업단은 이 조직의 잠재력을 사업과 활동을 통해 잘 끌어냈다. 거점시설이 만들어지고 난 '후'가 아니라 '시작부터' 주민들과 머리를 맞대고 고민하고 함께 활동했기 때문에 지금까지 주민들의 힘으로 공간이 운영되고 있다. 사업이 끝나고 사업단의 역할이 끝났지만, 마을 주민들은 아직 사업단에 참여했던 매개자들과 소통하고 있고 그들에게 신뢰를 보낸다. 마을의 크고 작은 행사에 여전히 참여하고 있고 또 지원할 수 있는 다양한 연계 고리를 만들어내고 있다. 일종의 '애프터서비스' 시스템이 작동하고 있는 셈이다. 이러한 신뢰가 어떻게 3-4년 만에 뚝딱 만들어질 수 있는지 가끔 궁금해지기도 한다. 우리가 깡깡이예술마을을 성공사례로 꼽는 이유는 결국 주민들의 참여와 역할을 이끌어내기 위해 끊임없이 노력했다는 점, 마을사업 기획과 실천의 기본에 충실했기 때문일 것이다.

많은 지역에서 도시재생사업이 진행됐지만 여전히 이 정책사업이 성공했는지, 실패했는지 평가가 엇갈리고 있다. 사실 도시재생사업은 그 결과와 효과를 속단하기 어렵다. 그리고 우리는 사업이 끝난 후에도 지속가능한 체계를 만드는 것이 얼마나 어려운 작업인지도 잘 알고 있다. 무수한 시행착오를 반복하더라도 성공사례들이 만들어진다면 그 성과들이 점차 주변으로 확산할 것이란 희망을 품고 아직도 많은 지역에서 각자의 방식으로 다양한 노력을 기울이고 있다. 결과적으로 깡깡이예술마을이 성공했느냐 아니냐를 논하지 않더라도 사업이 끝난 후에도 주민들의 힘으로 여전히 깡깡이예술마을의 사람-공간-이야기가 이어지고 있다는 점은 충분히 긍정적으로 평가할 만하다. 이러한 지속성이 아카이빙-프로그램-거점 공간-관리운영-사후관리 등 시작부터 끝까지 사업의 여러 단계를 거치면서 주민들과 매개자들이 함께 고민하고 실천하는 과정을 통해 만들어졌다는 점을 주목해야 한다. 깡깡이예술마을은 '재생됐다'는 완료형이 아니라 사업이라는 마중물이 지나고 난 뒤에도 여전히 살아 움직이고 있다는 점에서 지속형 재생의 모델이 되고 있다.

깡깡이예술마을은 아직 진행형이기 때문에 앞으로도 어려운 과제들에 직면하게 될 것이다. 대부분 50대 이상의 주민들의 활동이 주축을 이루고 있기 때문에 이들의 활동이 어떻게 다음 세대로 이어질 것인가 하는 문제도 그중 하나이다. 100세 시대에 섣부른 기우일 수도 있지만 지역의 활성화는 다양한 이해관계자들의 역할이 결집해야 지속될 수 있기 때문에 새로운 세대, 보다 많은 참여자를 모을 방법을 고민해야 한다. 지속적인 활동을 위한 기금을 마련하는 것도 또 다른 숙제이다. 지역에서 활용할 수 있는 자산이 있어야 지속적으로 커뮤니티 시설과 활동을 유지할 수 있고 완전한

'자(주독)립'도 이룰 수 있다. 보통 비용을 충분히 감당하지 못해 거점 공간들이 퇴색하는 경우가 많다. 커뮤니티시설의 시민자산화, 이를 위한 기금조성에 대한 논의도 지금부터 시작해야 한다. 새로운 변화를 준비하는 이러한 고민과 노력의 모아나가는 과정에서 언제든지 영도에 가면 한 번쯤 꼭 가보고 만나고 싶은 곳, 깡깡이예술마을의 삶과 이야기가 지속되길 기대한다.

깡깡이예술마을, 다시 살아나는 산업유산의 가치

강동진
근대유산, 산업유산, 세계유산 등을 키워드로 하는
각종 보전방법론과 재생 방안을 연구하고 있으며,
현재 경성대학교 도시공학과에 재직 중이다.
영도다리, 산복도로, 캠프하야리아, 부산항, 동천,
동해남부선폐선부지, 피란수도부산유산 등의
보전운동에 참여하였다. 현재 문화재청 문화재위원,
이코모스 한국위원회 이사 등으로 활동하고 있다.

깡깡이마을의 태동

1876년의 개항은 영도를 자연 상태로 놓아두지 않았다. 부산항과 마주한 영도의 입지 조건과 잠재력이 너무 컸다. 일제는 개항과 함께 '부산항조계조약'을 빌미로 부산항과 도심 전체에 걸쳐 토지를 본격적으로 매수했고 일인들의 전관거류지 근처에 빈 연안 지대로 남아있던 영도도 집중 매입 대상이 됐다. 이백여 미터의 폭을 가진 해협(남항)도 이 집요한 애착(?)을 막는 걸림돌이 되지 못했다.

영도 연안에는 기이하게 생긴 대풍포[1]라는 땅이 있었다. 심하게 움푹 들어간 형상으로, 둥그런 자연 방파제 역할을 맡아 바람이 심하게 불 때면 배들의 피항지이자 수선을 겸했던 포구였다. 부산항시가도(1911년 개정) 속 영도 연안을 자세히 살펴보면 용미산(어시장)과 영도 사이에 도선 운항항로가 그려져 있고 연안에는 온천牧島溫泉과 정미소大地精米所도 확인된다. 정밀한 지명이나 표식은 없으나, 바다 쪽으로 열린 도로망 구조로 보아 대풍포에는 이미 각종 운송 기능과 수산 및 조선 기능이 형성됐던 것으로 보인다.

대풍포 연안에서 최초로 목선 제조를 시작했던 이는 1887년에 부산에 들어온 다나카 와카지로田中若太 로 기록된다. 이후 그의 아들, 다나카 키요시田中清가 1912년 현 대평초교 일대에 '다나카 조선소'란 이름의 조선소를 설립했는데 이때를 우리나라 근대식 조선소의 기원으로 삼는다. 그래서 대풍포를 근대 조선업의 발상지라 부르는 것이다.

당시, 전관거류지 근처에 활용 가능한 평지가 매우 부족했기 때문에 움푹 들어간 형상의 대풍포는 매립의 최적지였다. 일제가 이런 땅을 가만히 둘리 없었다.[2] 1916년부터 1926년까지 대풍포 매립을 통해 42,000평에 이르는 신규 부지를 확보하고 매립지 일대를 새로운 공업 중심지로 조성했다. 이즈음 대풍포 매립지 일대에서 근대식 목선을 제조하기 시작했고 이 지역은 조선공업단지로 바뀌게 된다.[3]

일제는 1931년 만주사변을 일으키면서 대륙 침략의 야욕을 드러냈고 1937년 중일전쟁과 1941년 태평양전쟁을 일으켰다. 부산항은 물론, 영도까지 침략전쟁을 위한 병참기지로 사용됐다. 당시 일제는 전쟁 지원을 위해 우리나라 전 국토에 걸쳐 각종 약탈과 강제동원을 추진했다.

전쟁용 에너지수급을 위한 탄광 개발, 무기 생산을 위한 제철산업 육성, 군함 건조를 위한 조선소 건설 등을 추진했고, 이와 동시에 강제동원을 본격화했다.

이에 앞서 일제는 영도를 온전한 병참기지로 만들기 위해 섬과 육지를 잇는 영도대교를 건설(1931-1934)했다.[4] 불과 214m의 짧은 다리였지만 1930년대 당시, 한쪽 상판을 들어 올리는 도개교跳開橋로 건설된 영도대교는 파격의 결과물이었다. 영도대교 건설은 일제의 병참기지화의 큰 그림 가운데 해안가의 신규 토지 확보, 식수와 전기 공급, 전차 및 간선도로 개설 등 종합적인 연안도시계획의 일환으로 추진됐다. 결과적으로 영도대교는 일제가 영도를 얼마나 중요한 곳으로 인식했는지를 보여주는 물증인 셈이다.

영도대교 건설과정에서 착평된 용미산 터에 부산부청(1936)을 건립했고 남포동과 영도 남항동을 연결하던 전차가 영도대교 위를 통과했다. 이때부터 영도는 섬이 아닌 육지로 기능하며 대규모 인구가 유입됐고 해방기와 피란수도기를 지나는 1950-60년대에 절정에 달했다.

해방으로 수십만의 귀국동포들이 부산항으로 향했다. 독립운동가들, 강제동원 당했던 선조들, 어쩔 수 없는 사연으로 고국을 떠났던 동포들이 일시에 부산항으로 몰렸다. 그들에게 부산은 고향으로 돌아가는 경유지의 의미만 가진 것은 아니었다. 부산은 분단과 전쟁으로 고향을 잃어 돌아갈 수 없는 동포들에게 제2의 고향이 됐다. 많은 사람이 영도대교를 건넜다. 바다를 사이에 두고 도심인 광복동과 남포동을 마주했던 영도의 구릉지대는 그들에게 잠잘 곳을 제공하고 또 생계를 이어준 낙원이 됐다. 연이어 한국전쟁이 터지며 부산은 1,023일 동안 대한민국의 피란수도가 됐다. 밀려든 백여만의 피란민 중 상당수가 영도 사람이 됐다.

1957년 1월 1일을 기해 시행된 구제區制에 따라 영도는 중구, 서구, 동구, 동래구, 북구 등과 함께 '영도구'가 되었다. 정확한 당시의 인구 통계는 알 수 없으나 섬인 영도가 단일 구로 인정받았다는 사실은 당시 영도의 규모와 위상을 짐작케 한다. 1963년 직할시 승격 후 부산경제에 있어 영도 연안지대의 중요성은 더욱 커질 수밖에 없었다. 이즈음 국영조선소였던

'대한조선공사'[5]가 1968년에 민영화되었고, 이후 연관 회사들과 조선소들은 흥망성쇠를 반복했다. 특히 철선의 등장 후 목선 제조를 주로 했던 대풍포의 쇠락은 어쩔 수 없는 일이었다.

그러나 위기는 기회와 함께 찾아오는 법. 철선의 정기적인 수선작업에 착안한 대풍포 일대의 조선소들은 목선 제조가 아닌 철선 수선을 위한 '수리조선업'으로 업종을 전환했다. 그때가 1960년대 말이었고, 수리조선마을인 깡깡이마을의 역사가 시작된 시기였다. 마을은 1930년대부터 존재했지만, '깡깡이'란 애칭과의 결합은 이때부터였다.

깡깡이는 수리조선 공정 중 하나로, 녹이 슬어 너덜너덜해진 페인트를 벗겨내고 배 표면에 부착된 굴 껍데기와 각종 해산물의 잔재들을 함마와 깡깡망치 등으로 두드려 벗겨낼 때 '깡깡' 소리가 난다 하여 붙여진 이름이다. 수리조선업을 주로 하는 대평동에서는 예부터 항상 '깡깡'하는 소리가 울려 퍼져 깡깡이마을이라는 별칭을 갖게 됐다.

마을이 한창 수리조선으로 번성했던 오십여 년 전, 깡깡이 작업은 중년 여성들의 몫이었다. 그 여성들을 '깡깡이 아지매'라 불렀다. 깡깡이 작업을 하던 여성들과 수리 작업을 담당했던 남성들은 모두 가난한 집안 살림에 보탬이 되기 위해, 또 자식을 건사하기 위해 힘든 일을 억척스럽게 해냈고, 그런 연유로 깡깡이란 말은 이곳이 조선수리마을임을 상징하는 단어이자 주민들의 강인함과 끈기를 떠올리게 해주는 애칭으로 자리매김했다.

1990년대에 들어 발생한 지역경제의 급속한 변화는 영도와 대평동에 여러 측면에서 치명타를 제공했다. 조선업의 대형화, 수산업의 비중 약화, 신항만 건설에 따른 물류유통체제의 변화, 영도대교 너머의 부산시청, 부산지방법원, 부산지방검찰청 등의 이전은 영도 경제에 연쇄적으로 악영향을 미쳤다. 2000년대 들어 영도의 연안지대는 우리나라 쇠퇴지역의 한 곳으로 지명될 정도로 쇠락이 가속했다. 그러던 2010년대 중반 무렵, 깡깡이마을에 새로운 빛이 비치기 시작했다. 부산광역시의 '예술상상마을 공모'에 깡깡이마을에 대한 기획안이 선정된 것이다. 그해가 2015년이었다.

깡깡이마을은 산업유산이 될 수 있는가?

탈산업화 시대에 접어들며, 폐산업시설 자체를 보기 좋은 것으로 여기는 사람들이 등장했다. 그들의 다수는 수십 년간 함께했던 산업시설들을 한순간에 떠나보내지 못했던 연고 기업의 관련자들이었거나 기술자들이었다. 산업은 중지되었지만, 시설들과 그 터만이라도 그대로 남겨두길 원했다. 이러한 애착은 결국 '산업경관industrial landscape'이란 새로운 개념을 탄생시켰다. 산업경관은 폐산업시설들이 거대한 집단을 이루고 있거나, 산업 공정과 연관체계에 따라 자연환경과 어우러져 있는 경우를 말한다. 운하를 중심으로 하는 물류 운송 관련 경관, 와인 생산과 관련된 농업 경관, 자연 속에 중지된 채 남아있는 광업 경관, 넓은 단지 규모의 땅에 다양한 연관체계를 갖춘 제조업 경관 등이 해당한다. 산업경관은 멀찍이 서서 보는 지역의 산업전시장으로 이해되었으니, 현장 전체를 지붕 없는 또는 살아 숨 쉬는 지역박물관으로 정의하는 에코 뮤지엄Eco-museum 개념과도 유사한 면이 있다(강동진, 2021).

영국에서의 산업경관 개념은 '블래나번 산업경관Blaenavon Industrial Landscape'이 원조로 알려진다. 이 경관은 19세기 사우스 웨일스 지방의 철과 석탄 생산과 관련된 모든 것, 심지어 노동자와 그 가족들의 삶터까지도 보존하여 당시의 산업현장을 엿볼 기회를 제공한다. 즉 산업경관은 유형의 것을 넘어, 무형의 산업작동 시스템을 비롯하여 산업화 배경에 녹아있는 사회상과 인문 문화까지도 포괄한다. 이러한 점에서 우루과이의 프라이 '벤토스Fray Bentos 산업경관'은 제조업과 관련된 특별한 사례로 꼽힌다. 산업시설, 기계설비, 항만시설, 노동자들의 주택지, 그리고 목초지와 수변의 자연환경으로 구성된 이곳의 산업경관은 육류의 유입, 가공, 포장, 유통에 이르는 전체 생산 과정, 특히 육류 통조림 제조의 획기적인 기술력 전파와 55개국에 이르는 이주노동자들의 삶을 설명한다. 이처럼 개별의 존재 가치는 부족해도 시설 또는 요소 간의 유기적인 관계를 보여주는 산업경관에 대한 관심은 본격적인 탈산업화의 경향 속에서 점차 확산하고 있다.

산업경관을 이처럼 장황하게 설명한 까닭은 깡깡이마을이 바로 그런 곳이지 않을까 하는 기대감을 가지고 있기 때문이다. 8개소의 수리조선소들은 산업경관으로서 깡깡이마을의 핵심적인 원천이다. 수리조선업의 연관산업, 즉 깡깡이마을 내의 수십 개소에 달하는 제작수리공장 및 부품공급업체들도 핵심적 원천이라 할 수 있다.

깡깡이마을의 1950년(좌)과 2022년(우) 모습 (출처: 국토지리정보원)

1950년과 2022년의 항공사진을 비교해 보면 급속한 개발의 시대를 지나면서도 70년의 세월 동안 깡깡이마을과 주변 일대의 모습은 거의 변함이 없다. 조선소들을 연결하는 이면도로와 골목길들이 그대로다. 영도대교와 마주한 '다나카 조선소' 자리는 이름만 바뀌었을 뿐 안쪽으로 쑥 들어간 형상과 구조가 거의 변하지 않았다. 바로 옆 마름모꼴 형상을 가진 '조선질소비료창고'의 박공지붕들도 그대로다. 물성의 재료와 방식은 현대식으로 변했지만 기반이 그대로이니 깡깡이마을의 산업경관도 크게 달라지지 않아 보인다.

경관 속에 녹아있을 노동자들의 삶과 그들의 터전은 어떻게 변했을까? 일제강점기에 지어진 노동자 주택들이 한국전쟁 후 형성된 이북마을과 제주마을 등으로 이름만 바뀌었을 뿐, 그 골목들과 집들의 모양새는 여전하다. 다시 러시아 선원들과 외국인 노동자들로 채워지고 있지만, 여전히 이곳의 노동자주택들과 골목들은 깡깡이마을과 관련된 산업경관의 원천이라 할 수 있다. 이 시대는 산업유산의 양면적 속성, 즉 폐허라는 현실을 뛰어 넘는 공간성, 가혹한 노동의 현장을 뛰어 넘는 삶터로서의 인문사회성, 그리고 매연과 녹으로 얼룩진 오염지대이면서도 친환경을 논할 수 있는 생태성에 주목한다. 분명 깡깡이마을은 산업유산이 될 자격이 충분해 보인다.

깡깡이마을의 산업유산

산업유산은 매우 흥미롭고 다채롭다. 분류 방식에 따라 매우 다양하다. 1차, 2차, 3차산업, 업종별로 분류하는 것이 가장 일반적이다. 하드웨어, 소프트웨어, 휴먼웨어로 구분하는 속성별 분류도 산업유산의 구성을 이해하는 데에 매우 효과적이다. 또한 생산, 가공, 저장, 운송, 지원 등 산업의 작동기능별로 산업유산을 분류하기도 한다.

업종별	1차산업	농림업, 수산업, 광업
	2차산업	제조업, 철강금속업, 전기에너지업, 조선업
	3차산업	물류운송업, 산업서비스업
속성별	하드웨어	시설 자체와 시설이 자리하고 있는 터와 장소, 그리고 시설 내외부의 기계 및 설비류
	소프트웨어	산업기술, 작동시스템, 각종 산업풍경, 도면들과 각종 문서류, 그리고 노사 관련 각종 활동 연고 기업(소유자, 관리자), 기술자, 노동자 등
	휴먼웨어	원료를 직접 수확, 채굴, 어획하기 위한 생산지 또는 도구(기계류 포함)
작동기능별	생산기능	농림업의 정미소와 제재소, 염전과 양식장 등 수산업 관련 시설과 광업의 제련·선광 관련
	가공기능	시설, 조선업의 제작수리 관련 시설 등
	저장기능	산업서비스업을 제외한 모든 산업 유형에서 나타나는 기능이며, 물류운송업에서 광범위하게 발생
	운송기능	광업, 물류운송업, 조선업에서의 수송용 레일과 하역 관련 시설, 그리고 전기에너지업에서의 배전시설, 가스공급시설 등 에너지 이동을 담당하는 각종 시설과 장치들 등
	지원기능	각종 재료공급과 저장기능 관련 시설, 사고 예방을 위한 안전 관련 시설, 노동자와 가족들을 위한 생활복지시설, 이외 행정, 금융, 인프라 및 상업 관련 서비스시설 등

산업유산의 분류와 구성

다양한 구성으로 이루어진 산업유산을 보존하거나 활용하려 할 때 반드시 만나게 되는 과제는 '유산들이 보유한 가치에 대한 평가 작업'이다. 무엇을 보존해야 하고, 어디를 변형해야 하고 또 제거해야 하는지를 결정짓는 일이다. 관점에 따라 달라지나, 핵심자원, 중요자원, 주변자원 등 산업시설의 역할 정도에 따라 구분하는 것이 보편적이다(강동진, 2010). 중추 기능을 담당했던 공간과 시설, 기계류, 관련 기술 등을 지칭하는 '핵심자원'은 필수 보존대상으로 분류된다. 이에 반해 유산 가치가 다소 떨어지는 '중요자원'이나 유산에 영향력은 있으나 공간적으로 분리된 '주변자원'은 변형을 통해 새로운 기능으로 전환하거나 아예 제거되는 경우도 있다.

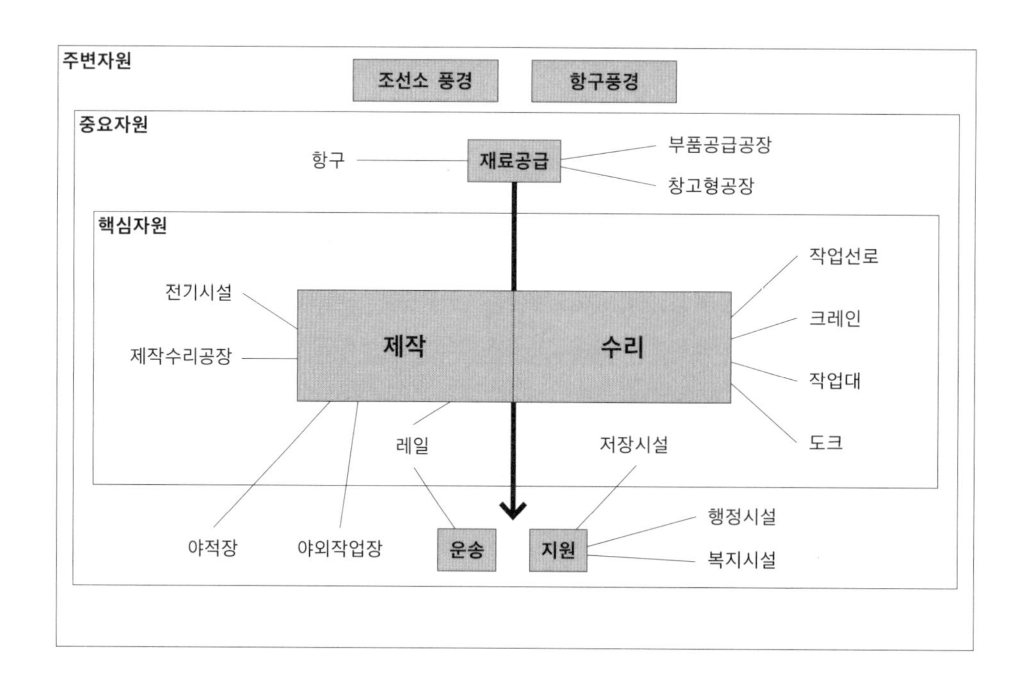

조선업관련 산업유산의 체계 ©강동진

조선업과 관련된 산업유산의 구성 체계는 '제작' 부문과 '수리' 부문으로 대별할 수 있다. '수리' 부문으로 분류되는 깡깡이마을의 경우, 핵심 자원으로는 조선소(전체), 작업선로, 작업대, 크레인, 제작수리공장 등이 있다. 이외 조선소의 물적 바탕을 이루는 안벽들과 선창들, 그리고 선박과 조선소 및 물양장을 직접 연결하는 계선주도 이에 포함된다. 중요자원으로는 조선소의 각종 저장기능을 담당하는 야적장과 야외작업장, 수리작업을 위한 부품공급공장과 창고형공장 등이 해당한다. 또한 노동자들을 위한 배후 주거시설들과 관련 생활지원시설도 이에 해당된다.

산업유산으로서 깡깡이마을의 돋보이는 가치 중 하나는 조선소 풍경과 항구 풍경이다. 이론적으로는 주변자원으로 분류되나, 이곳에서는 핵심자원 이상의 가치를 가지는 것으로 평가된다. 인구가 밀집된 도시 내에 위치하며, 좁은 해협(남항) 사이에 두고 도심을 마주 보는 조망 조건을 갖추고 있기 때문이다. 또한 주변의 비교적 높은 곳에서 깡깡이마을을 한눈에 내려다 볼 수 있는[6] 부감俯瞰구조도 또 다른 이유가 된다. 이와 함께 깡깡이마을의 형성 역사를 이해할 수 있는 조선소 배후의 좁은 도로들과 골목들이 유지 보존되고 있어, 걷기를 통해 수리조선이 이루어지는 생생한 현장감을 전달 받을 수 있는 여건도 한몫 한다고 볼 수 있다.

현장을 걷다 보면 특별한 산업경관의 요소들을 만나게 된다.
수리조선의 존립에 결정적인 콘텐츠를 공급하는 제작수리공장들과 부품공급업체들이다. 깡깡이예술마을 사업단이 2017년과 2018년에 저술한 책 속에 한곳 한곳을 설명하는 대목이 신박하다.

> **"선박의 심장을 만지는 엔진수리공장, 항해를 마친 프로펠러의 고향, 고깃배의 그물을 끌어 올리는 힘, 금보다 귀한 아연의 희생, 한 치의 오차도 없는 나무 부품, 항해를 지키는 조타실의 비밀, 선박의 혈관 파이프의 모든 것, 선박의 신경을 만지는 선박전기기술, 대평동 미다스의 손, 선박의 관정 벨로우즈 공장, 수천 개의 부품이 모인 공장, 배 안의 모든 나무를 위하여, 선박 노즐의 종합병원, 다시 태어나는 배."**

모두 선박 수리를 위해 필수적인 기능을 담당하는 공장과 업체들이다.
'다시 태어나는 배'는 뭘까? 궁금하여 살펴보니 조선소에서 발생하는 고철을 처리하는 고철상이다. 고철은 얼핏 보면 필요 없어 버리는 것이라 여길 수 있지만, 깡깡이마을에서는 빛나는 보석이 된다. 죽어있던 쇳덩어리가 살아있는 유산으로 변신하는 마법의 만물상이다.

깡깡이마을을 방문할 때면 꼭 지나가는 공장이 있다. 잘 있었는지를 확인하고 또 혹시 문이 닫히지 않았는지 걱정이 되기 때문이다. 그만큼 내게 특별한 느낌을 전해주는 장소다. 그곳은 선박의 신경을 만지는 곳으로 비유됐던 선박전기업체 '예광전기공업사'다. 건물의 모습이 예사롭지 않다. 석재 슬레이트의 박공구조를 가진 옥빛의 단아한 모습이다. 정면에 계수나무를 뜻하는 '계桂'라는 글씨가 적혀있다. 일제강점기부터 있었다고 하니, 계수나무를 좋아하는 일본인[7] 설립자의 성향이나 집안 내력과 관련이 있지 않을까 싶다. 공장에서 가장 놀라운 점은 실내에 쌓인 선박용 전기 관련 부품들이다. 헤아려 보고 싶을 정도다. 아마 수 천 점은 족히 넘을 것 같다.

이처럼 깡깡이마을의 각종 공장과 업체에는 셀 수 없을 정도의 많은 부품과 보이지 않는 기술들이 쌓여있다. 그 어마어마한 합合때문에 '잠수함을 만들 정도'라고도 한다. 이곳을 지키고 있는 '장인들과 그들의 손과 머리로부터 나오는 생산과 수리기술'은 깡깡이마을 최고의, 진정한 산업유산이다.

'방치'와 기다림의 지혜

산업유산이란 개념은 각종 산업시설이 노후화되면서 쓰임새가 줄어들거나 산업 자체가 정지 또는 폐업 상태에 이르렀을 때 비로소 성립된다. 넓게 '산업화 시대에 남겨진 보호와 계승이 필요한 산업의 흔적이자 기억의 증거물'로 정의되는데, 여기에서 흔적과 기억은 단순 시설의 개념을 넘어선다. 시설이 존재하는 지역과 장소가 선조들이 땀 흘리며 일구었던 삶의 터전이자 근거였다는 데에 방점을 찍는다.

이런 관점에서 볼 때, 산업유산은 우리와 관계없이 멀리 떨어져 있는 문화재가 아니라, 우리 삶과 직간접적으로 밀착되고 연계된 생활유산이자 우리의 인식과 대처에 따라 무궁무진한 가능성을 담을 수 있는 지역자산이다. 또한, 변화가 중지된 화석화된 문화재가 아니라, 여전히 살아 움직이는 진행형유산으로도 볼 수 있다. 깡깡이마을은 '진정 살아있는 진행형유산'이다. 기름때가 덕지덕지하고 어찌 보면 고철 덩어리이고 폐허 같아 보이지만 깡깡이마을에 녹아있는 지난 백여 년간 내려온 기술성과 장소성은 무엇과도 비견될 수 없는 가치를 가지고 있다.

현재의 우리는 깡깡이마을을 온전히 다룰 능력이나 지혜를 갖추지 못했다. 폐산업시설은 오염과 낡음을 이유로 쉽게 포기의 대상이 된다. 그러나 산업유산을 다룰 때, 포기가 아니라 '긍정의 방치'가 필요할 때가 있다. 폐산업시설이 지역산업사 측면에서 중요하여 섣부른 해체가 망설여지고, 규모가 크거나 설비 장치가 정교하여 당장의 변화나 활용이 수월하지 않을 때다. 또한, 다룰 지혜와 기술력이 부족하거나 확보된 재원으로 감당치 못할 것으로 판단될 때도 방치를 선택할 수 있다. 즉, 더 나은 관리와 활용 방안이 마련될 때까지 시간을 보내며 기다리는 것이다. 이 같은 방치를 '계획적 방치'라 부른다. 진짜 방치가 아니기에 '전략적인 보존'과도 같은 의미를 가진다.

기다림의 시간 가운데 산업화로 훼손된 여러 상흔이 회복되어 상상하지 못했던 유산으로 빛을 발하기도 한다. 깡깡이마을이 바로 이런 곳이 되기를 기대한다. 노동자의 삶과 생산이 공존하는 곳, 그곳에 새로운 창의의 생기가 스며들 때까지 묵묵히 기다려 주는 것이 우리의 과제이자 의무일 수 있다.

1 대풍포(待風浦)란 이름은 조선시대 때부터 배들이 왕래하고 바람이 불면 피하던 포구에서 연유한다.

2 1911년(개정) 부산항시가지도에 이미 매립선과 수운 목적의 운하 표기선이 그려져 있다.

3 나카무라 조선소를 위시하여 마쓰부지, 사에구사, 나카모토, 사로사키, 타무라, 니시다, 우에다, 코가와 등 크고 작은 조선소들이 형성된다(깡깡이예술마을사업단, 2017).

4 길이 214.63m, 너비 18.3m, 높이 7.2m의 다리(도개교)이며, 1934년 11월 23일에 준공되었다.

5 중일 전쟁 직전인 1937년 미츠비시중공업과 동양척식주식회사가 합작으로 설립했던 '조선중공업'이 전신이다.

6 천마산, 봉래산 등의 산정과 남항대교, 부산타워 등에서 깡깡이마을을 볼 수 있다.

7 전반적으로 일본인은 하트 모양의 잎과 내구성을 가진 목질, 노란색의 가을 단풍 등 여러 이유로 계수나무를 좋아한다고 한다.

참고문헌
- 강동진, 『도시설계 11권 1호, 산업유산 재활용을 통한 지역재생 방법론 연구 : 산업 유형별 비교를 중심으로』, 한국도시설계학회, 2010
- 강동진, 『오래된 도시, 새로운 도시 디자인』, 커뮤니케이션스북스, 2018
- 강동진, 『산업유산, 커뮤니케이션스북스』, 2022
- 깡깡이예술마을사업단, 『깡깡이마을, 100년의 울림-산업』, 부산광역시 영도구·영도문화원×호밀밭, 2017
- 깡깡이예술마을사업단, 『대평동공업사를 만나다』, 깡깡이예술마을, 2018
- 깡깡이예술마을 홈페이지 http://kangkangee.com

깡깡이예술마을 사업 소개 1
- 거점공간 조성

1 깡깡이 생활문화센터

연계사업 생활문화센터 조성 지원사업
부산시 영도구 대평로 27번길 8-8,
대평로 27번길 6 1층

현재 '깡깡이 생활문화센터'로 조성된 공간은 과거 대평동 동사무소가 있던 건물과 대평마을회관 건물로 구성되어 있다. 구)대평동사는 영도구청 소유로 1층 경로당, 2-3층 유관 단체 사무실로 사용되고 있었다. 구)대평마을회관 건물은 일제강점기 일본 사찰 '서본원사西本願寺'가 있던 자리였는데, 1950년대 대평동 주민들이 돈을 모아 일대 약 300평을 불하받았다. 이후 1층은 영도 최초의 유치원인 대평유치원으로 2층은 <대평동마을회> 사무실로 사용되었고, 2015년 당시 유치원은 원생이 줄어 사실상 휴원 상태였다.

'깡깡이 생활문화센터' 조성을 통해 전체 리모델링 과정을 거친 구)대평동사는 1층 경로당과 3층 유관단체 사무실 기능은 유지하고, 2층 공간은 깡깡이예술마을 사업단 사무실과 동아리 연습실로 조성했다. 구)대평마을회관은 1층에는 다양한 모임과 행사를 진행할 수 있는 마을다방과 공동체부엌을, 2층에는 마을박물관과 마을회 사무실을 조성했다. '깡깡이 생활문화센터'는 행정은 제세 공과금, 운영요원 등 최소한의 지원을 하고 ㈔대평동마을회를 중심으로 마을박물관과 마을다방, 공동체부엌 등 주요 공간의 대부분을 주민 자치로 운영하고 있다.

면적
구)대평동사 132.2㎡(2층),
구)대평마을회관 546.8㎡
조성완료
2017년 1년(1차), 2018년 3월(2차)
건축설계 및 인테리어디자인
다솜 건축사사무소, 공간디자인 마루

공간개요	구)대평동사	2층 다목적 동아리 연습실, 회의실 및 사무공간
	구)대평마을회관	1층 마을다방(다목적 행사공간), 공동체부엌
		2층 마을박물관, 마을회 사무공간

콘텐츠 협업	시각예술	김경화 - 대평동마을회 현판
		- 패브릭 아트-공구들
		김경화 윤필남 - 그 너머 우리의 풍경
		신명덕 - 기억/벤치
		윤필남 - 깡깡이아지매
		전광표 - 사운드스케이프
		최백호 - 대평동 포구의 풍경
	영상아카이빙	평상필름 - 조선소 및 공업사 영상아카이브 10편
	마을박물관 전시기획	공간 힘, 정만영
	전시품 기증	㈔대평동마을회 주민 및 공업사 기증품 400여 점
	마을다방,공동체부엌 프로그램 협업	전혜정 - 마을다방 공간 연출 및 소품 디자인

추진과정

일본사찰 '서본원사西本願寺'	대평동사 대평동마을회관 대평유치원	마을커뮤니티센터 조성협의	문체부 생활문화센터 조성 추가예산 확보	건축설계 및 운영 협의
일제강점기	1950-	2016.4	2016.5	

1차(구)대평동사) 공사완료/사업단사무실, 동아리실 등	공간운영 주민 역량강화 프로그램	2차(구)대평동마을회관) 공사완료/마을다방, 마을박물관 등	문체부 문화적 도시재생사업 공간활성화 프로그램 운영
2017.1		2018.3	2018.5

과거 대평유치원 및 <대평동마을회> 사무실 모습 (출처: 깡깡이예술마을 사업단)

과거 대평유치원과 대평동마을회관으로 사용되던 건물을 리모델링해 탄생한 '깡깡이 생활문화센터'
(출처: 깡깡이예술마을 사업단)

‘깡깡이 생활문화센터’ 내부-1층 마을다방 (출처: 깡깡이예술마을 사업단)

‘깡깡이 생활문화센터’ 내부-2층 마을박물관 (출처: 깡깡이예술마을 사업단)

2 깡깡이 안내센터

부산시 영도구 대평북로 36 내

대평동 선착장은 1926년 대평동과 맞은편의 남포동, 자갈치 간 왕래를 위한 시설로 처음 조성됐고, 영도대교가 건립되기 전에는 하루에 약 5만 명을 수송했다. 하지만 이후 영도대교와 부산대교 개통, 주변 교통수단의 발달 등으로 점점 이용률이 떨어지면서 2009년 폐업했다. 도선장 건물은 2013년 선박과 충돌하는 사고로 붕괴하면서 완전히 사라졌고, 녹슨 잔교만이 유일하게 장소를 지키고 있었다.
'깡깡이 안내센터'는 노후한 잔교를 개보수하고 매표 및 대기 등 유람선 운항에 필요한 시설을 구축하여 100년이 넘는 영도 도선의 역사를 이어가는 공간이자 이 지역을 방문하는 사람들에게 깡깡이마을에 대한 안내를 담당하는 공간으로 계획됐다. '깡깡이 안내센터'는 항만시설 보호지구 내 임시건축물 용도로 컨테이너를 활용했으며, 1층은 유람선 대기실과 방문객 안내센터, 2층은 화장실과 전망대로 조성했고 예술가들의 라이트, 사운드 설치작품으로 외관의 매력과 방문객들의 흥미를 높이고자 했다. 이 공간도 안내센터 운영인력은 <영도구>의 최소한의 지원 이외에 유람선 사업을 주관하는 ㈔대평동마을회를 중심으로 운영되고 있다.

건축면적
40.02㎡ / 연면적 71.34㎡
조성완료
2018년 6월
건축설계 및 시공
㈜사이트플래닝 건축사사무소, 비스페이스
잔교설계 및 시공
원공엔지니어링㈜, 태평양 해양산업

공간개요	깡깡이 안내센터	1층 안내센터, 유람선 터미널
	구)대평마을회관	2층 화장실, 물양장 전망대
콘텐츠 협업	시각예술	박재현 - 디지털 등대
		니시하라 나오(일본) - 영도의 바람을 모아 세계로 울려 퍼지게 하다

추진과정

1926	대평동↔남포동, 자갈치 도선 운항
2009	도선업체 폐업
2013	도선장 건물 사고로 붕괴
2016.10	영도 도선복원 프로젝트 현장조사 및 계획 수립
	계획 및 행정 협의
2017.10	건축설계 용역
2018.3	공사 착공
	공간운영 주민 역량강화 프로그램
2018.6	공사완료
2018.7-	깡깡이 안내센터 오픈 (깡깡이유람선은 2019년 승인)

과거 영도 도선장 모습 (출처: 대평동마을회)

과거 영도 도선장 모습 (출처: 대평동마을회)

'깡깡이 안내센터' 전경 (출처: 깡깡이예술마을 사업단)

'깡깡이 안내센터', '신기한 선박체험관', '깡깡이 유람선'이 있는 물양장 풍경 (출처: 깡깡이예술마을 사업단)

3 깡깡이 마을공작소

부산시 영도구 대평로 45번길 3

일제강점기 많은 일본인이 거주했던 대평동에는 일본식 건물이 많았다. 그러나 해방 이후 많은 건물이 필요에 따라 개조되면서 온전히 남아있는 적산가옥은 거의 없는 편이었다. 공작소 용도로 매입한 건물은 1952년 신축된 적산가옥식 2층 목조건축물로 이후 콘크리트 벽이 추가되는 등 두 차례 이상 증개축 되었다. 건물 1층은 선박 엔진을 수리하던 '광진선박'으로, 2층은 주거용으로 사용되고 있었고, 특히 2층 천정과 일부 벽체에는 적산가옥의 흔적을 볼 수 있는 목조 트러스구조가 그대로 남아있었다.

'깡깡이 마을공작소'는 공업사가 밀집한 곳에 있어 방문객들이 수리조선소와 공업사를 거리에서 둘러본 후 제작 체험을 즐길 수 있는 곳으로 계획됐다. 건물은 리모델링 계획 전 건축팀에서 적산가옥으로서의 보존의 가치가 있는지 보존 전문가와 현장 조사 등을 면밀히 진행했고, 이후 2층 적산가옥 목조구조와 심벽을 그대로 보존하는 방식으로 리모델링했다. 1층은 교육체험실과 전시실로, 2층은 마을목수가 상주하는 사무공간으로 조성했다. 이 공간 또한 주민 자치로 운영되고 있으며 방문객들에게 상시적으로 조립키트를 이용하여 공작체험 프로그램을 제공하고 있는데 특히 청소년, 학생들 사이에 인기가 높다.

건축면적
55.37㎡ / 연면적 68.59㎡
조성완료
2018년 6월
건축설계 및 시공
㈜사이트플래닝 건축사사무소, ㈜담덕종합건설

공간개요	깡깡이 마을공작소	1층 전시실, 교육체험실, 중정
		2층 마을목수 상주 사무공간

콘텐츠 협업	시각예술	정만영 - 공간 및 장비 세팅
		정시원 - 목수프로그램 운영

추진과정

‘깡깡이 마을공작소’로 재탄생하기 전 ‘광진선박’ (출처: 사이트플래닝)

‘깡깡이 마을공작소’ 전경 (출처: 깡깡이예술마을 사업단)

'깡깡이 마을공작소' 전경 (출처: 깡깡이예술마을 사업단)

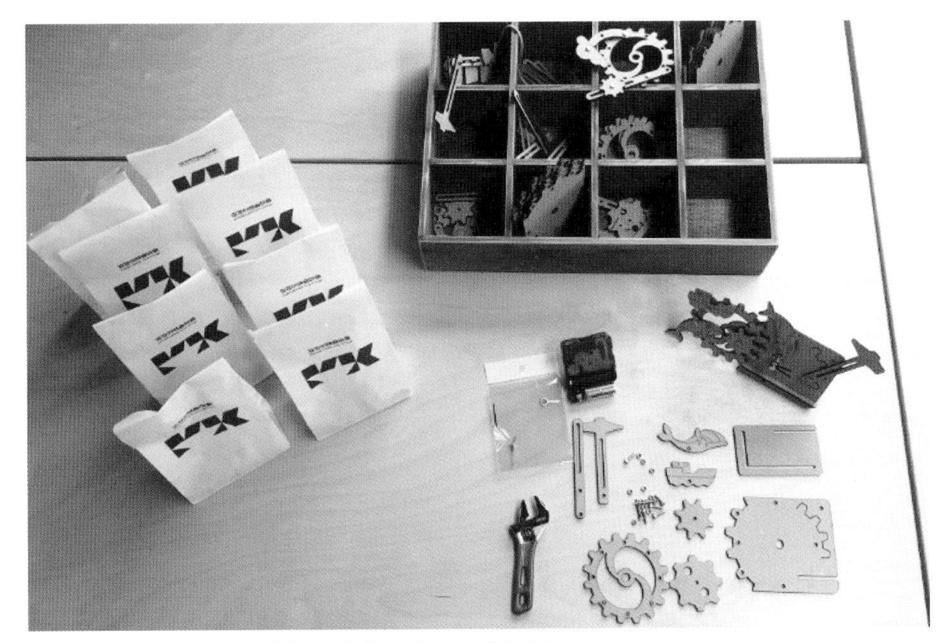

‘깡깡이 마을공작소’ 제작 체험 키트 (출처: 깡깡이예술마을 사업단)

‘깡깡이 마을공작소’ 제작 체험 프로그램 진행 모습 (출처: 깡깡이예술마을 사업단)

4 깡깡이 유람선

부산시 영도구 대평북로 36 선착장 내

영도와 부산 원도심을 오가는 나룻배는 1895년경 주민들의 필요에 의해 자발적으로 만들어졌는데 점점 이용객이 많아지면서 1901년 이후에는 일본인들이 디젤엔진을 이용한 이른바 '통통배'를 운영하기도 했다. 1930년대 영도 인구가 2만 명 수준이었는데, 도선의 이용객 수는 대략 1만 명 정도였다고 한다. 도선은 영도대교 건립 이후에도 영도에서 남포동, 충무동까지 버스로 가면 30분이 넘는 거리를 5분 만에 건널 수 있게 해주는 편리한 교통수단으로 대평동 사람들에게는 생활의 일부였다. 대평동과 자갈치를 잇는 도선은 2000년대 이후 점점 이용률이 떨어지면서 2009년 폐업했다.

'깡깡이 유람선(영도도선복원)' 프로젝트는 오랜 역사를 지닌 영도 도선을 복원하여 특화된 해상관광 및 체험상품으로 개발하는 사업이다. 안전의 문제, 관련 법령 및 행정 사항의 어려움으로 두 군데 이상의 지점을 오가는 도선이 아니라 출발점으로 다시 돌아오는 유람선 형태로 먼저 사업을 개시하고 향후 거점을 늘려 도선으로 확장하는 것으로 계획을 수정했다. '깡깡이 유람선'은 대평동 옛 도선장에서 출발하여 수리조선소와 남항 일대를 둘러보고 돌아오는 코스로 최대 34인 승선이 가능한 통선을 활용했다. 선박 외관은 태국 출신의 그래피티 작가와 협업하여 강렬한 컬러와 디자인으로 도색하여 보는 사람들의 시선을 끌고 있다. 접안시설과 대기시설은 깡깡이예술마을 방문객들을 위한 안내센터를 겸해 행정에서 건립하고 선박 운항은 경험이 많은 업체와 용역계약을 통해 협력하고 <대평동마을회>에서 유람선 허가권을 가지고 운영을 담당하는 3자 협력구조를 만들어 사업을 진행하고 있다.

조성완료
2019년 5월(유람선 허가완료)
선박운항업체
선경마린
선박정보
선질 강재, 총톤수 13톤, 정원 34인
유람선 운영
㈔대평동마을회

콘텐츠 협업 시각예술 루킷 쿠안화테(태국) - 선박 외관 디자인 및 도색

추진과정

1895	영도 나룻배 최초 운항
1901-	엔진이 달린 통선 운항
2013	도선업체 폐업 후 도선장 사고 붕괴
2016.10	영도 도선복원 프로젝트 현장 조사 및 계획 수립
	부산해경, 부산시 해운항만과, 남항관리사업소 관련기관 협의
2017	깡깡이 유람선 추진협의 및 기반시설 설치기획 완료, 임시 운항
2018.10	행정허가 반려, 이해관계자 및 주민 공청회 개최
2019.3	깡깡이유람선 운항관리 방안 연구용역
2019.5	깡깡이유람선 유선사업 행정 허가
2019.5-	깡깡이 유람선 해상투어 프로그램 정기진행

1920년 영도행 도선 모습 (출처: 한국저작권위원회)

'깡깡이 유람선' 모습 (출처: 깡깡이예술마을 사업단)

'깡깡이 유람선' 운행 모습 1 (출처: 깡깡이예술마을 사업단)

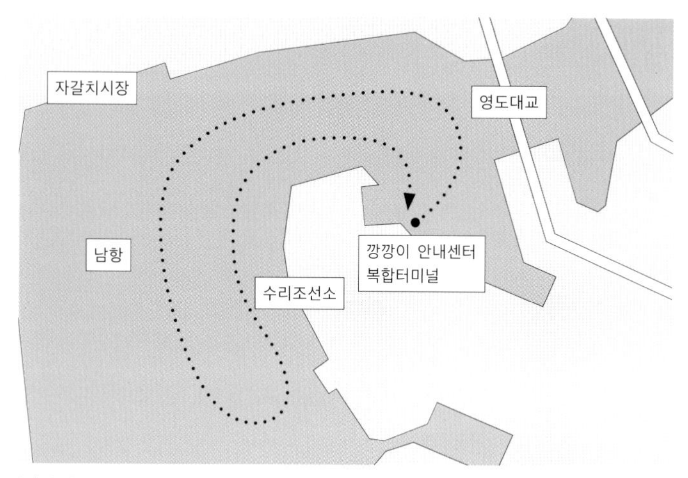

'깡깡이 유람선' 운행 코스

'깡깡이 유람선' 운행 모습 2 (출처: 깡깡이예술마을 사업단)

'깡깡이 유람선' 캐릭터
(출처: 깡깡이예술마을 사업단)

5 신기한 선박체험관

연계사업 산업관광 활성화 사업
부산시 영도구 대평북로 36 선착장 내

영도대교를 지나 깡깡이마을로 진입하는 곳에는 일제강점기에 만들어진, 소형 선박들이 접안하는 간이부두 시설, 물양장이 있다. 빽빽하게 정박한 선박들을 바라보며 물양장을 걷다 보면 항구도시 부산의 매력에 빠지게 된다. 살아있는 선박 박물관이라 할 수 있는 대평동 물양장에서 가장 흔히 볼 수 있는 선박은 다른 배를 끌고 밀어서 움직이는 예인선이다.

'신기한 선박체험관'은 <문화체육관광부>의 '산업관광 활성화 사업'과 연계하여 41톤급 중고선박을 매입하여 방문객들이 승선하여 배의 이모저모를 둘러보고 다양한 체험을 할 수 있는 시설로 리모델링했다. 일반인들은 배를 타도 승객실이나 갑판 일부를 제외하면 실제로 둘러볼 기회가 없는데 '신기한 선박체험관'은 기관실과 선실, 조타실에 직접 들어가 내부를 살펴볼 수 있다. 각 공간마다 라이트와 사운드, 인터랙티브 등 다양한 요소를 활용한 독특한 예술작품을 설치하여 관객들의 흥미를 더할 수 있도록 공간연출을 했다. 조경가와 협력하여 갑판과 선착장 외부에 여러 가지 식물들을 심은 '플로팅가든'을 설치하여 방문객들뿐만 아니라 지역주민들의 눈길을 끌고 있다.

조성완료
2018년 8월
선박정보
선질 강재, 총톤수 41톤, 길이 19.83m, 너비 5.2m
선박체험관 기획, 전시, 연출 및 선박상가 수리
<문화예술 플랜비>, 금강조선
체험관 운영
매일 오전 10시-5시 개관 (월요일 휴관)

콘텐츠 협업		
시각예술	김덕희 - 깡깡이스코프(만화경 체험, 갑판 위)
	니시하라 나오(일본) - 숨비소리 (갑판 위 파도가 만들어내는 소리 체험)
	첸 사이 후하 쿠안 (싱가폴) - 써라운드 사운드 스피커 (깡깡이마을 소리체험, 선미설치)
	서민정 - 선택하지 않는 18 (선실을 활용한 설치작품)
	신무경 - 파워웨이브(기관실 내 인터렉티브 작품)
	김태희 - 바다의 추억(조타실 내 인터랙티브 조타 체험)
조경	㈜뜰과숲 원예점 - 선박 갑판 및 선착장 외부 조경 다자인 및 시공

추진과정

물양장에 정박중인 예인선 풍경들 (출처: 깡깡이예술마을 사업단)

예인선을 개조한 '신기한 선박체험관' 모습 (출처: 깡깡이예술마을 사업단)

기관실을 이용한 키네틱 예술체험 'Power wave' (출처: 깡깡이예술마을 사업단)

'신기한 선박체험관' 캐릭터
(출처: 깡깡이예술마을 사업단)

갑판에 설치된 사운드 예술체험 'Surround Sound Speaker' (출처: 깡깡이예술마을 사업단)

선박체험관 단체관람 모습 (출처: 깡깡이예술마을 사업단)

문화

예술

“대평동의 역사와 숨겨진 사연을
바탕으로 깡깡이예술마을의 서사를
구성해 온 과정 자체가 한 편의
문학이자 예술이다.”

“깡깡이예술마을을 전반적으로
살펴보면 마을이 가진 유무형의 유산을
새로운 가치로 연결하려는 의지가
읽힌다.”

“깡깡이예술마을은 산책자와 생활자
사이의 경계를 넘나드는 관객을
상정한다.”

시간과 공간을 잇는 상상력 : '포스트 새장르 공공미술'과 깡깡이예술마을

조선령

정신분석학과 후기 구조주의 철학을 이론적 토대로, 미학, 현대미술, 이미지/미디어 이론을 연구해왔다. 현재는 부산대학교 예술문화영상학과에 교수로 재직 중이며, 미학 연구자이자 큐레이터이기도 하다. 기획자로는 사회적 쟁점과 예술적 장의 만남을 주요 주제로 다루었으며, 최근 관심사는 영상, 신체, 시간의 관계이다.

공간적 상상력

비판적 인문지리학자 도린 매시Doreen Massey는 장소와 로컬리티 연구의 중요성을 강조하는데, 이는 일군의 학자들이 그러하듯이 장소와 로컬리티를 변하지 않는 본질적 정체성을 지닌 노스탤지어의 지점으로 간주하기 때문이 아니다. 오히려 매시는 장소의 정체성은 항상 새롭게 재구성되는 유동적인 것일 뿐 아니라 복수적이고 다중적인 것이라고 주장한다.[1] 매시에 따르면 로컬의 정체성은 그 장소의 내부적 역사만이 아니라 다른 로컬과의 연관성, 글로벌한 상황과의 상호작용 속에서 형성되는 '관계적 성격'을 지닌다. 이 과정에서 로컬과 글로벌의 관계 역시 일방적이지 않아서 로컬이 글로벌의 결과나 사례에 불과한 것이 아니라 반대로 글로벌에 영향을 미치기도 한다는 것이다.[2]

매시는 장소와 로컬에 대한 통념의 이면에는 시간과 공간에 대한 일반적인 시각이 도사리고 있다고 비판한다. 그는 특히 좌파 이론가들 사이에서 흔히 공유되고 있는 이분법적 사고를 지적한다. 이는 공간을 정적이고 폐쇄적이고 텅 빈 것으로, 탈정치적인 것으로 보고 시간을 역동적이고 탈구적이고 의미로 가득 찬 것으로, 궁극적으로 정치적인 것으로 바라보는 시각이다. 매시는 에르네스토 라클라우Ernesto Laclau를 이런 경향의 대표적 이론가로 거론한다. 라클라우는 공간을 '시간성의 제거'로, 시간에 대립하는 것으로 보며, 단순 생산만 가능한 닫힌 체제로 간주하고, 시간을 재현할 수 없는, 열린, 그리고 탈구가 가능하기에 정치적 가능성을 지닌 것으로 본다.[3] 그러나 매시는 공간을 부재나 결핍으로 보고 시간에 대립시키는 사고방식이 서구 이론의 역사에서 오래 지속된 이분법적 사고에 근거한 것이며, 이는 공간을 여성에, 시간을 남성에 귀속시키는 젠더적 차별의 소산이라고 비판한다.[4] 매시는 '공간-시간'의 상호 결합적 관점에서 공간을 역동적이고 살아있는 것으로 재사유할 것을 촉구한다. 매시의 주장은 두 가지 명제로 요약된다. 첫째, 공간은 바탕이나 표면이 아니라 사회적 관계가 응축된 영역이다. '공간은 상호관계를 통해 구성되는 것으로, 모든 공간적 스케일에 걸쳐 사회적 상호관계와 상호작용이 동시적으로 공존하는 것으로 개념화해야 한다.'[5] 둘째, 어쩌면 더 중요한 명제가 있다. '모든 사회적 현상, 활동, 관계는 공간적 형태와 상대적인 공간적 위치를 지니고 있다.'[6] 시간은 그 자체로 존재하는 것이 아니라 항상 공간적 성격을 갖는다. 그리고 공간은 균질적인 평면이 아니라 차이를 생산하고 갈등을 포함하는 역동적인 장이다. 이 때문에 공간의 문제를 방기하는 것은 사회적 관계를 올바로 파악하는 데 방해가 된다. 따라서 매시는 '공간의 정치학'을 개발하고 '공간적 상상력'을 발달시킬 것을 촉구한다.

매시의 관점은 공공예술을 분석하고 평가하는 데 있어 한 가지 단서를 준다. 공공예술의 역사는 과거 권위적인 기념비 조각의 전통과 '퍼센트 프로그램percent for art program'의 정태적 성격을 극복하려는 시도와 궤를 같이한다. 퍼센트 프로그램은 '미술관에서의 사적인 관람 경험을 미술관 밖으로 이동시키는 역할'[7]을 담당했다 이 경우 공공장소는 작품의 '배경'으로서만, 괄호 쳐진 상태로 존재한다. 이후 점차 장소 특정성에 대한 인식이 생겨나긴 했지만, 공공조각 위주의 초기 공공예술은 이 패러다임에서 크게 벗어나지 못했다. 수잔 레이시Suzanne Lacy 등이 주창한 '새장르 공공미술new genre public art'은 공간 속에 물질적 오브제를 배치한다는 초기 패러다임을 사회적 관계, 소통, 협업이란 비물질적, 과정적 패러다임으로 바꾸고자 했다. '전통적으로 공공적 장소라고 인정된 곳에 내놓을 영속적인 대상을 창조하는 것이 아니라, 공중의 구축을 지원하는 것, 즉 행동, 생각, 그리고 개입을 통해, (…) 관객을 고무하는 것'[8]이 새장르 공공미술의 지향점이다. '고정된 물체와 윤곽이 정해진 장소는 종종 공공성에 대한 완고한 미학과 경직된 개념을 강화한다. (…) 공공미술은 공동체 안에서의 좀 더 신중하고 가변적이고 변경 가능하고 지속적인 활동을 필요로 한다.'[9] 이러한 인용문에서도 알 수 있듯 새장르 공공미술의 기획자들과 작가들은 '단순히 관조를 위해 새로이 특정적인 대상을 창조하는 것'[10]을 지양하고 '현존 체계와 환경에 침입하고 간섭하는 것'[11]을 목표로 한다.

매시의 이론에 비춰보면 새장르 공공미술에 잠재하거나 실제로 나타난 편향을 지적할 수 있다. 애초에 공공장소의 작품이라는 초기 개념을 비판하면서 등장한 새장르 공공미술은 과정적이고 수행적인 측면, 비물질적인 측면을 지나치게 강조하면서 반대로 공간의 물리적 성격이나 시각적 측면에는 충분히 관심을 기울이지 않았다. 미술 장식물 담론이 공간과 작품의 결합을 지나치게 완결된 것으로, 또한 고립된 것으로 바라본다는 비판과 함께 출발한 새장르 공공미술은 물리적 결과물을 남겨야 한다는 요구에서 벗어나기 위해 너무 애쓴 나머지, 종종 반대

방향에서 공간을 정태적이고 완결된 것으로 바라보는 결과를 낳았다. 방향은 반대이지만, 구조는 동일하다. 공간의 물리적 특성과 신체적, 정서적으로 접근할 수 있는 공간의 현존성을 단순히 수행을 위한 중립적 배경으로 간주한다. 예를 들어 벽화 제작에 있어서 지역 주민들과의 협업을 중시한 나머지 결과물이 주변 환경에 미치는 영향에 대한 고려나 독창성에 대한 관심사를 종종 방기했다는 또 다른 비판에 직면하게 됐다. 지역은 다르지만 비슷비슷한 내용의 상투적 벽화들이 많이 양산되어 '벽화 무용론'까지 등장했다.

이는 매시의 지적처럼, 시간과 공간을 대립시키고 전자를 긍정적으로 후자를 부정적으로 간주하는 이분법적 사고의 결과라고 할 수 있지 않을까? 물론 다수의 참여와 협업 그 자체가 완성도와 반비례한다고 말할 수는 없지만, '완성도 논란'은 과정을 지나치게 강조하면서 매체나 형식에 대한 고민을 소홀히 하는 태도와 무관하지 않다. 새장르 공공미술의 전형적 패러다임에서 대화, 협업, 소통은 시간적인 것으로, 대상, 윤곽, 물체는 공간적인 것으로 분류할 수 있다. 이러한 편향은 '타자의 목소리를 들어야 한다'는 구호에서도 나타난다. '귀 기울이기로의 지향은 미술은 본래 눈을 통해 가능한 경험이라고 제안하는 지배적인 시각 중심적 전통에 도전한다'[12]는 명제로 요약되는 이 시각은 시간 대 공간이라는 이분법의 또 다른 변형이다. '목소리 듣기'는 선형적 시간을 필요로 하며, 이는 서사, 역사, 시간의 우위를 의미하기 때문이다. 이는 공간을 시간과 분리시키고, 정적이고 폐쇄적이며 고정적으로 보는 관점의 또 다른 표현이라고 할 수 있다. 만약 매시의 말처럼 시간이 항상 공간과 연관을 맺으며, 사회적 관계가 반드시 공간적 형태로 나타난다면, 협업이나 소통을 통해 만들어진 사물, 윤곽, 형태는 협업의 과정과 분리될 수 없을 것이다. 역으로 어떤 사물, 윤곽, 형태를 만들 것인가 하는 문제는 협업의 과정에 영향을 미칠 것이다.

새장르 공공미술을 넘어서

한국에서 새장르 공공미술은 2007년의 '아트 인 시티' 사업의 담론적 배경으로 공식 천명된 바 있고, 이후 '마을미술 프로젝트' 등 정부 주도의 공공예술 사업에서도 암묵적 지향점이 됐다. 물론 소수자와 소외된 계급을 중심으로 작가, 기획자들의 자발적 활동을 중심으로 진행된 미국의 새장르 공공미술과 달리 한국에서는 처음부터 정부와 지자체 주도로 사업이 이루어졌다는 차이가 있다. 한국의 경우 계급별 차이보다는 낙후된 지역 마을들의 환경을 개선하고 공동체의 참여를 고무하는 방식으로 사업을 진행했다. 초기에는 생활환경 개선이 시급한 지역에 단순히 예술만을 도구로 일회적, 단기적으로 사업을 시도한 결과 마을 주민들의 부정적 반응에 직면하기도 했고 물리적 충돌까지 생겨났다. 이후 점차 더 많은 예산이 투입되어 건축가, 디자이너, 미술가 등 여러 분야의 전문가들이 동시적으로 접근하고 도시재생 사업과 연계하여 더 장기적이고 체계적으로 사업을 진행하면서 긍정적 반응을 끌어낼 수 있었다.

도시재생 사업과 결합된 최근의 경향을 '포스트 새장르 공공미술'이라고 부를 수 있을 것이다. 주민참여와 협업을 기본으로 하되 벽화 사업과 같은 전통적인 사업에서 구술 채록, 주민참여 활동, 지역 스토리 개발 등 다양한 방면으로 사업 내용을 확장하고 있다. 시각물 제작, 출판, 아카이빙, 주민참여 활동 등을 결합한 영도 깡깡이예술마을 사업도 이러한 흐름과 맥락이 닿아 있다. 이 사업은 매시의 관점에서 해석할 수 있는 다양한 면모를 갖고 있다. 5년이라는 긴 시간 동안 한 공간을 계속 변화시키고 장소의 정체성을 새롭게 만들어갔다는 점도 그렇지만, 이 프로젝트가 공간을 상상하는 방식이 과정적이고 상황적이라는 점에서도 그렇다. 반대로 말하면 과정적이고 상황적인 데 초점을 맞추면서도 전형적인 새장르 공공미술과 달리 물리적 공간과 감각적 환경의 중요성을 방기하지 않았다는 것이다. 부산시 영도구 대평동, 일명 깡깡이마을은 19세기 말 최초의 근대식 목선 조선소인 '다나카 조선소'가 세워졌던 곳이자, 한때 선박수리소가 집결된 곳으로 잘 알려진 곳이다. 선박업의 대형화로 많은 수리소가 타 지역으로 이전하면서 마을은 쇠퇴했지만, 여전히 소규모 수리와 연관된 부품제조사, 공업사들이 흩어져 있다. 이곳에 사업단이 들어와 여러 예술가, 전문가들과 협력하여 건물 외벽을 칠하고, 스트리트퍼니처를 배치했으며, 유치원과 마을회관으로 쓰던 건물을 마을다방과 마을박물관으로 개조했다. 또 과거 영도를 오가던 도선을 유람선으로 개조하여 마을 자치로 운영하고 선박 체험 프로그램을 만들었다. 그리고 마을의 역사와 스토리를 수집하여 『깡깡이마을 100년의 울림 : 역사, 산업, 생활』 3권을 발간했고, 마을 사람들이 스스로 쓴 이야기들로 자서전을 출판하였으며, 그래픽 노블을 제작하고 아카이브를 구축했다.

사업 내용 자체는 기존의 다른 사업들과 크게 달라 보이지 않지만, 깡깡이예술마을에 매시가 말한 '공간적 상상력'으로 해석할 수 있는 지점들이 곳곳에 있다는 사실은 주목할 만하다. 예를 들어, 벽화 제작은 '영속적인 대상을 창조하는 것'을 기피하고 지역주민과의 협업이나 공동작업이라는 '과정적' 측면만을 강조하는 일반적인 새장르 공공미술의 경향과 달리, 내용적, 형식적 측면에 대한 고민과 작품과 환경에 대한 고려의 흔적이 엿보인다. 지역 공동체와의 소통과 협력을 중요하게 고려했지만 벽화는 개별 작가의 크레딧이 들어간 '작품'으로 구현됐다. 주민과의 소통과 협업은 자서전 출판이나 마을다방, 선박 체험관 운영, 마을해설사 활동 등 주민이 직접 참여하거나 운영하는 공간, 프로그램에 더 집중되어 있다.

한 가지 특이한 것은 벽화를 맡은 작가 중 적지 않은 수가 외국 작가라는 점이다. 이들은 한국 공공예술 사업의 기존 관행에 발을 담그지 않은 상태로 깡깡이마을에 와서 개성적인 그림을 선보였다. 예를 들어 브라질 작가 제 팔리토Zéh Palito가 그린 '깡깡이 생활문화센터' 외벽의 벽화 '경외로운 자연'은 흔히 벽화 사업에서 선택되는 직접적인 소재, 즉 해당 마을의 정체성을 반영하는 것으로 여겨지는 이미지 대신 해석의 여지를 주는 다소 모호한 도상들, 다른 한편으로는 일상적으로 친근한 동식물 이미지를 사용했으며, 화사한 색을 사용하여 다소 어두웠던 주변 분위기를 밝게 만들었다. 또한 선박수리소 외벽에 그려진 폴 모리슨Paul Morrison의 벽화 '쇠뜨기'는 거의 추상적인 형태를 지니고 있다. 여러 갈래로 뻗은 흑색의 선들은 마을의 정체성과 관련된 직접적 내용 없이도 주위 공간과 잘 어울린다. 그런데 이런 시각물 제작에 있어서 주민참여가 뜻밖의 지점에서 발생했다. 그것은 마을 주민들이 작가들의 벽화를 따라 자신만의 벽화를 그리거나, 프로젝트의 일환으로 만든 쌈지공원에 자신만의 컬렉션을 전시하는 등의 형태로 나타났다.

산책-생활-노동의 공간

깡깡이예술마을의 또 다른 특징은 관객의 위치와 관련된 것이다. 이 사업은 마을의 외관을 완전히 다르게 변화시키는 방식으로 수행되지 않았다. 처음 이 마을에 도착한 외부인은 어떤 프로젝트가 진행됐는지 한눈에 발견하기 어렵다. 체험 프로그램이나 출판, 아카이빙 같은 비물질적 작업의 비중이 높기도 하지만, 시각적으로 눈에 띄는 결과물들도 스펙터클한 효과를 기대하는 관광객을 대상으로 하는 것이 아니라 골목과 골목을 천천히 소요하는 산책자를 1차 대상으로 하기 때문이다. 이 프로젝트는 말하자면, '길에 스며드는' 방식으로 구현된다. 선박 수리용 업체와 창고, 조선소, 배들이 늘어져 있는 대평동의 풍경은 사업 이후에도 깔끔하게 탈바꿈하거나 관광지가 되어 '힙한 가게들'이 들어서 있는 곳들과는 상당히 거리가 있다. 골목은 여전히 거칠고 스산한 느낌마저 든다. 그러나 이 길을 산책자의 시선으로 둘러보는 사람들에게는 여러 변화가 눈에 들어오게 된다. 예를 들어 허수빈 작가가 대평동 이곳저곳에 설치한 '구름 가로등'은 얼핏 눈에 띄지 않지만 지나가는 길에 문득문득 발견할 수 있는 작품이다. 이 작품은 낮에는 푸른 하늘을 배경으로 흰 구름처럼 보이고, 해가 지면 푸른빛을 발하는 가로등이 된다. 박상호 작가의 '깡깡이 마을'은 낡은 벽에 조심스럽게 붙여진 푸른색의 타일 작업으로, 역시 천천히 길을 걷는 사람의 눈에 우연히 발견되는 작품이다.

'산책자'는 특정 지역에 뿌리 깊은 소속감과 정체성을 갖고 있지 않지만 완전히 무관심한 외부인도 아니다. 그는 중간자적 입장에 있다. 산책자는 마을주민 그 자신일 수도 있다. 우리는 보통 산책을 할 때 집에서 멀리 떨어진 곳에 가기보다 집 근처를 돌아다닌다. 산책자는 자신이 평소 무심히 지나쳤거나 수단으로만 이용했던 사물들, 건물들, 길과 벽들을 '관조'의 방식으로 바라보게 된다. 이는 관객이 예술을 대하는 방식과 매우 비슷하다. 이런 점에서 깡깡이예술마을은 산책자와 생활자 사이의 경계를 넘나드는 관객을 상정한다고도 할 수 있다. 산책자는 어떤 지점에서 생활자가 되기도 하고, 그 반대가 되기도 한다. 산책자는 또한 노동자가 되기도 한다. 마을 사람들은 마을다방에서 바리스타 일을 하거나, 문화유산 해설사로 활동하거나, 선박 체험관에서 일한다. 요컨대 이 프로젝트를 경험하는 사람들은 산책자, 생활자, 노동자 사이에서 움직인다. 그들은 시간과 장소에 따라 다른 정체성을 가지며, 이 정체성들 사이에 배타적 구별은 없다. 이 역시 매시가 말한 '다중적 정체성'의 한 가지 구현 방식이라고 할 수 있을 것이다. 이런 점에서 깡깡이예술마을은 관광객들의 시선이 마을을 점령함으로써 원주민들이 소외되고 불편을 겪는 사례와도 구별된다.

거점공간과 장소감, 그리고 공통적인 것the common

깡깡이예술마을은 마을 주민들이나 방문객들이 지속적으로 활동하고 모일 수 있는 '거점 공간'들, 마을다방과 마을박물관, 공동체 부엌, 마을공작소와 동아리 연습실 등을 구축했다. 마을 주민들이 자치적으로 운영하는 이 거점공간들의 출발점 중의 하나는 프로젝트와 함께 꾸려진 동아리 활동이다. '마을신문 동아리', '마을 정원사 동아리', '시화 동아리', '마을다방 동아리' 등이 있었으며, 이 중 '마을다방 동아리' 참여자들은 동아리 활동에 그치지 않고 바리스타 자격증을 취득하여 지금도 마을다방을 운영하고 있다. 이 공간들은 일시적으로 존재하는 곳이 아니라 지속성을 지닌 안정된 장소이다. 이 사례는 안정적 공간을 확보하는 것이 반드시 '시간과 무관한, 고정되고 폐쇄적인 공간'을 만드는 것으로 귀결될 필요는 없다는 것을 보여준다. 이 공간들은 마을 사람들이 자신의 참여를 지속할 수 있는 거점의 형태를 띠고 만들어진 곳이기 때문이다. 이는 장기적, 지속적 활동이라는 점에서 시간적 측면을 갖는 동시에 그 시간 속에서 구현된 공간을 갖는다는 점에서 공간-시간 복합체의 사례라고 할 수 있다. 이 거점 공간들은 사회적 관계들이 공간적 형태를 띠고 나타난 곳으로 볼 수 있다. 장소가 먼저 있고 사람들이 그 장소를 채운 것이 아니라 사람들의 관계가 장소를 필요로 한 경우이다. 매시의 말처럼 공간은 단순히 안전성 혹은 혼돈이 아니라 안정적인 동시에 불안정한 장이다.[13] 장소의 정체성이 항상 새롭게 만들어지는 과정적이고 유동적인 정체성이기 때문이고, 동일한 시점에도 계급, 젠더, 계층에 따라 서로 다른 공간적 경험을 한다는 점에서 항상 복수적이기 때문이다. 공간을 둘러싼 지역민들의 정체성도 변화하고 있다. 마을 주민들이 단순히 모이던 장소는 이제 주민들이 자치적으로 운영하는 공간으로 바뀌었고, 거기에 관여하는 사람들의 정체성도 달라졌다.

이 공간들은 마을 주민들이 운영하고 참여하는 공간이라는 점에서 협업이나 소통의 과정과 대립하는 고정적이고 정태적인 공간이 아니다. 역동적인 장인 동시에 단순히 시간 속에서 비물질적으로 흘러가버리는 것이 아니라 주민들이 '장소감'[14]을 가질 수 있는 공간이기도 하다. 현상학적 지리학자 에드워드 렐프Edward Relph가 중심 개념으로 삼은 '장소감'은 그가 하이데거에 기반하여 노스탤지어와 개인이 원형적 체험을 토대로 한다는 점에서 진보적 이론가들의 비판을 받은 바 있다. 그러나 매시에 따르면, 모든 장소감이 보수적인 것은 아니다. 변하지 않는

본질이나 고정된 정체성을 상정하지 않는 비본질주의적, 관계적 시각에서 보면 장소감은 진보적으로 재해석될 수 있다.[15] 다만 매시는 특정 장소의 내적 역사나 정체성만이 아니라 타지역과의 관계, 글로벌 스케일과 관계를 드러내고 그 관계가 장소의 정체성에 외부적 요인이 아니라 오히려 내적 특성을 형성하는 핵심적 요인임을 인식할 때 더 긍정적 결과가 생긴다고 주장한다.

이런 관점에서 보면, 깡깡이예술마을이 해외 작가들과 협업하고 그들의 시각을 도입한 것은 매우 고무적이다. 반면 거점 공간 구축이나 기타 프로그램에서 로컬과 로컬, 로컬과 글로벌 사이의 상호관계에 대한 시각까지 확장되지 못한 것은 아쉬운 부분이다. 깡깡이마을이 번영하다가 쇠퇴하게 된 배경에는 한국의 다른 도시들과의 관계가 있고 나아가서 동아시아, 더 나아가서 글로벌한 산업변화와의 연관성이 있을 것이다. 또한 깡깡이마을의 공간 안에서도 젠더, 계층, 집단 별로 다른 공간적 경험이 있었을 것이다. 이러한 면을 프로젝트에 더 세분화해서 반영했으면 어땠을까?

안토니오 네그리Antonio Negri와 마이클 하트Michael Hardt는 『공통체Commonwealth』에서 오늘날 '삶정치적 노동'을 통해 생산되는 아이디어, 이미지, 정동, 언어, 서비스 등의 산물들을 '공통적인 것'이라고 명명한다.[16] 예술은 이들이 말하는 '공통적인 것'의 특성을 공유한다. 공유되어도 가치가 줄어들지 않고 오히려 커진다는 점에서 그렇다. 오늘날 예술의 위상이 이렇다면, 공공성과 예술성은 더 이상 배타적 가치가 아닐 것이다. 예술은 예외적 지점에서가 아니라 그 토대에서부터 공공적일 것이다.[17] 이 관점에서 보면, 공공예술은 오늘날 자본이나 제도에 의해 점유되어 있는 공간을 '공통적인 것'으로 되찾아오는 행위라고 할 수 있을 것이다. 다만 이 '공통적인 것'이 동질적이고 균일하지 않다는 것을 잊지 않는 한에서, 그리고 항상 공간적 형태를 지닌다는 점을 잊지 않는 한에서 그러할 것이다.

1 도린 매시, 『공간, 장소, 젠더』, 정현주 옮김, 서울대학교출판문화원, 2015, p.247

2 같은 책, p.291

3 같은 책, p.451

4 같은 책, p.49

5 같은 책, p.477

6 같은 책, 같은 곳

7 수잔 레이시, 『새로운 장르 공공미술 : 지형그리기, 도입글』, 김인규.이영욱 옮김, 문화과학사, 2010, p.27

8 같은 책, p.90

9 같은 책, p.93

10 같은 책, 같은 곳

11 같은 책, 같은 곳

12 수지 개블릭, 『새로운 장르 공공미술 : 지형그리기, 접속의 미학 : 개인주의 이후의 미술』, 김인규.이영욱 옮김, 문화과학사, 2010 p.111

13 도린 매시, 『공간, 장소, 젠더』, 정현주 옮김, 서울대학교출판문화원, 2015, p.479

14 에드워드 렐프, 『장소와 장소상실』, 김덕현, 김현주, 심승희 옮김, 논형, 2005

15 도린 매시, 『공간, 장소, 젠더』, 정현주 옮김, 서울대학교출판문화원, 2015, p.272

16 안토니오 네그리, 마이클 하트, 『공통체-자본과 국가 너머의 세상』, 정남영,윤영광 옮김, 사월의책, 2014

17 어떤 면에서 이는 새로운 주장이 아닌데, 예술의 공공성에 대한 주장은 사실 미적 판단의 영역을 "개념없는 주관적 보편성"으로 정의한 칸트로 거슬러 올라가기 때문이다.

깡깡이예술마을, 지속가능한 공공미술의 실험

김성연

비엔날레, 공공미술관의 디렉터를 역임했으며 과거 비영리 공간을 중심으로 전시기획과 레지던시프로그램, 교육프로그램, 국제비디오페스티발을 운영했다. 더불어 월간미술잡지를 발행하는 등 시각예술분야에서 다양한 시도와 활동을 해왔다.

공공미술을 대하는 관점

공공미술에 관해 말할 때면 그 범주와 기본적인 정의를 설정하는 것에서부터 난관에 봉착한다. 워낙 다양한 방식과 층위에서 진행되고 있을 뿐만 아니라 용어의 규정에서부터 광범한 역사적, 예술사적, 정치사회적 맥락을 단편적으로 규정하기가 쉽지 않기 때문이다. 이 글에서 언급하는 '공공미술'은 2000년대를 지나며 '공공미술추진위원회'의 발족과 '아트인시티', '마을미술프로젝트', '도시갤러리프로젝트'와 같은 사업들로부터 출발하여, 오늘날 공공기관이나 지자체 등의 공적 예산으로 진행되는 마을만들기, 도시재생, 문화도시 등을 표방하는 국내 공공미술의 유형을 지칭하고 있다.

사실, 이러한 맥락에서의 공공미술로 한정한다고 해도 예산과 사업의 주체, 혹은 작업의 출발점을 포함하여 어떤 맥락에서 진행된 것인지에 따라 성격과 평가가 달라지기도 한다. 특히 '행위의 주체'와 '평가의 시점'이 어디에 있는가에 따라 달라질 수밖에 없다. 미술계에서 다루어지는 제도, 공간 중심의 예술작품과 예술행위와 달리, 공공장소에 놓인 작품의 경우 누구의 관점에서 바라볼 것인가에 따라 극명한 차이를 드러내기도 하고, 대립구조를 보이기도 한다. 여기서 관점은 보통 지원을 주도하는 기관, 일반 대중과 예술계, 지역민과 작품, 예술계의 다양한 비평 등 상이한 관점을 포함하는데, 어떤 입장에서 접근하고 평가하는지에 따라 달라질 수 있고, 이마저도 명확하게 분리되어 논하기 어렵다.

이 글에서는 공공미술에 대한 평가나 판단이 상당히 다층적일 수밖에 없다는 전제와, 필자가 사업 초기에 참여한 경험이 있다는 점을 미리 밝히며 <문화예술 플랜비>의 주도로 부산광역시 영도구 대평동에서 2016년부터 2018년까지 진행되었던 깡깡이예술마을의 작업들을 다각적인 관점에서 살펴본다. 영도에서는 이후에도 여러 유형의 유사한 사업들이 진행되고 있고, 또 지역이 중첩되기도 하지만, 여기서는 이 기간에 진행된, <문화예술 플랜비>가 추진한 프로젝트의 작업들을 중심으로 언급하고 있다.

깡깡이예술마을은 한국에서 정책적 지원이 시작된 2000년대 다양한 유형의 공공예술, 공공미술 사업이 10여 년을 지나며 이에 대한 비판적, 반성적 목소리가 나오는 시기에 이뤄졌다. 이 시기 공공미술 작품들은 과거 환경조형물 중심의 미술 장식품 제도와는 달리, 예술가 지원의 뉴딜사업

성격과 수잔 레이시Suzanne Lacy의 이른바 '새장르 공공미술'의 장점, 그리고 주민 참여를 염두에 두고 시작하였다고 할 수 있기에 긍정적이거나 발전적인 측면이 보여주고 있지만 여전히 여러 가지 문제들로부터 자유롭지 못한 것도 사실이다.

깡깡이예술마을은 지난 공공미술에서 제기된 여러 문제에 대한 반성적 지점과 차별성을 고려하면서 진행된 프로젝트로 볼 수 있다. 첫째, 이전까지 제기된 반성적 지점들은 주민과의 충분한 소통 없이 진행되는 방식, 둘째, 벽화 등 유사한 유형의 반복, 셋째, 예술성의 부족 혹은 결여, 넷째, 지역에 대한 연구 및 공간과의 연계 부족. 다섯째, 해당 지역의 관광화로 인한 문제, 여섯째, 지속적인 유지와 관리 문제 등 다양한 이슈를 포함한다.

이 문제들에 관해 쉽게 언급하기도 어렵고 몇몇 사항에 대해서는 모두가 동의하는 방향을 찾는 것은 불가능에 가깝다. 하지만 공공미술 사업에서 고려되어야 하고 고민해야 하는 지점들이라는 것은 분명하다. 최근 공공미술 형식이 포함된 지원사업의 경우, 제도적으로 주민의 동의나 참여에 대한 구체적 증빙을 하도록 해서 소통의 문제를 강화하고 추후 유지와 관리에 대한 계획을 수립하도록 하거나, 초기 단계에서부터 전문가의 자문을 거쳐 보다 나은 결과물에 도달하도록 하는 것과 같은 여러 장치들을 두고 있다.

그동안 이러한 기술적인 보완 장치나 인식의 변화는 있었지만 공공미술을 바라보는 관점, 누구의 관점에서 바라보는가에 따라 그 평가는 너무 큰 차이를 드러내고 있다. 이는 주민의 선호와 작가의 입장, 대중의 눈높이와 예술계의 평가 사이에 간극이 존재할 수밖에 없고, 이들이 일치하기란 사실상 어렵기 때문이다. 그뿐만 아니라 예술계 내부에서도 공공미술을 바라보는 관점에 있어 근원적인 차이를 보이기도 한다. 뿐만 아니라 설치된 장소와 맥락에 따라 같은 작업이라고 해도 다르게 평가받을 수밖에 없기 때문에 작품 자체의 예술성만으로 평가하거나 단편적으로 접근하는 것은 조심할 필요가 있다. 이 글에서는 깡깡이예술마을에 어떤 작품들이 제작되었는지 프로젝트와 개별 작품을 알아보고, 앞서 언급한 6가지 문제 지점과 연관해서 다각적인 관점과 의미를 살펴본다.

깡깡이예술마을 공공미술의 다양한 유형

깡깡이예술마을에는 공공미술의 영역뿐만 아니라 미술계에서 적극적으로 활동하는 27명의 작가 및 단체가 참여했고, 이들의 평소 작업의 연장선에서, 공간과 상황에 부합하는 작업을 제작한 것으로 보인다. 작품의 분야별로 보면 평면과 입체조각뿐만이 아니라 키네틱아트, 라이트아트, 사운드아트, 조경 등 다양하다고 할 수 있는데, 이는 부산에서 진행된 기존의 공공미술에 비해 뉴미디어와 다양한 장르를 적극적으로 포함하고 있다는 점에서 의미를 찾을 수 있다.

작업의 내용적 측면을 보면 대평동 지역의 환경적, 산업적, 역사적 특징을 반영한 작업, 혹은 주민의 생활에 도움이 되는 작업들로 구성되어 있다. 이처럼 지역과 공간의 정체성과 주민의 편익을 고려하였다는 점은 긍정적으로 평가할 수 있다. 이를테면 지역에서 쉽게 접할 수 있는 선박 관련한 기계 부품 등을 적극적으로 활용한다거나, 산업적 요인을 잘 드러내는 등 마을의 상징성과 부합하려는 시도, 선박 하부의 녹과 해조류를 제거하면서 나는 소리에서 유래한 마을의 별칭 '깡깡이마을'과 연관해 '소리'를 중요하게 다룬 사운드아트 작업, 어두운 거리를 밝히거나, 주민을 위한 편의시설을 제작하는 등의 시도들이다.

이와 같은 기본적인 접근방식을 두고 깡깡이예술마을은 페인팅시티, 아트벤치프로젝트, 키네틱프로젝트, 사운드프로젝트, 라이트프로젝트, 골목정원프로젝트, 마을박물관프로젝트 등 7개의 프로젝트로 구분하여 진행됐다. 먼저 프로젝트별로 참여 작가와 작품을 살펴보면 다음과 같다.

페인팅시티-월아트

마을 곳곳의 건물 외벽에 진행된 이 프로젝트에는 국내외에서 활발히 활동하는 작가들이 참여했다. 섬 건너의 자갈치시장 쪽에서도 보이는 건물의 외벽, 마을 내부의 골목, 아파트 외벽 등에서 진행됐고 색, 면, 디자인 등 추상적 이미지가 다수 포함됐다. 기존의 벽화에서 자주 접하는 소재나 방식보다는 작가의 개성이 잘 드러나는 작품들이 눈에 띈다.

먼저, 정크하우스의 건물 외벽 페인팅 작업 '수리가 있는 깡깡이마을', '컬러풀 스트리트'는 마을의 외곽에서도 잘 보이는 공장 건물의 외부 전체를 감싸는 방식으로 진행됐다. 공공미술에서 벽화작업은 벽면을 배경 삼아 주제가 되는 인물, 꽃 등의 형상과 이야기를 그리는 방식으로 구성되는 것이 일반적인데, 정크하우스의 작업은 건물 벽면 전체를 아우르며 색, 면, 디자인의 흐름 속에서 형태가 함께 결합하는 방식으로, 마치 추상적인 색, 면, 디자인처럼 보인다. 물론 디자인 속에는 단순화된 인물이나 형상들이 포함되어 있지만, 배경과 대상이 분리되어 있지 않기에 건물 전체가 채색된 것으로 보인다. 색채는 마치 녹슨 철재를 상징하는 듯한 브라운과 오렌지가 주색이라 약간 무거운 느낌을 주지만, 그린 계열의 보색 대비가 무거움을 상쇄시킨다. 또 다른 정크하우스의 작업 '허물어진 단면의 미학'은 앞선 작업과 달리 매우 자유로운 터치로 강한 색채의 색면추상 형태로 제작됐다. 이 작업은 외부에 노출된 건물 외벽과 달리 거리 안쪽의 폐허 같은 공간의 분위기 속에서 더욱 자유로운 그래피티 형태에 가깝다. 어두운 골목에 생기를 불어넣고 있고, 개인적으로는 이번 페인팅시티-월아트 중에서 가장 흥미로운 작품이지만, 지역 주민의 시선과 평가는 다를 수 있을 것이고 오히려 이질적으로 다가올 수도 있다.
신혜미의 '영도 사람들'은 원래의 외벽인 시멘트 질감을 그대로 둔 채, 영도에서 만난 사람들의 모습을 익살스럽게 그리고 있다. 제 팔리토Zéh Palito의 '경외로운 자연'은 인간과 자연 그리고 동물을 강렬한 색채로 그리고 있는데 한국화에 자주 등장하는 요소들을 차용하여 낙원과도 같은 이들의 관계를 표현했다. 열대의 원색으로 채색된 작업은 지역의 분위기와 상당한 차이가 있어 보이며 완전히 다른 시공간에 온 듯 착각을 불러일으킨다. 헨드릭 바이키르히Hendrik Beikirch의 '우리 모두의 어머니'는 세계 여러 도시에서 진행한 작가의 작업 연장선에서 작가와 작품의 특징이 잘 드러나는 작업이다. 가상의 인물이지만 깡깡이 아지매를 표현한 대형 인물화를 아파트 외벽에 그렸는데 검정색만 사용해 얼굴에 깊게 팬 주름으로 깡깡이 아지매의 삶과 회한을 잘 드러내고 있다. 작가는 전 세계를 여행하며 대형 작품을 남겨왔는데, 과거 민락동에서 진행한 '어부의 초상' 작업으로도 국내에 잘 알려져 있다.

폴 모리슨Paul Morrison은 그동안 우리가 접해왔던 벽화와 다른 시도를 보여준다. 제목 '쇠뜨기'는 풀의 이미지를 크게 확대하여 일종의 추상적인 라인 드로잉 형태로 보는 이의 다각적인 연상과 호기심을 갖게 한다.
마치 금이 간 벽면을 접합한 듯한 검은 드로잉은 유사한 방식의 일반적인 벽화와는 차별적 시도로 읽히기도 하지만 일반 시민의 시점에서는 즐겁게 마주할 것 같지는 않다. 부산 출신의 그래피티 작가로 활발한 활동을 해 온 구헌주의 '풍경들'은 그동안 그가 해 왔던 작업에서의 색상과는 큰 차이가 있어 보이는데 다른 작가와의 협업을 통해 이루어졌기 때문이다. 제 팔리토Zéh Palito 작가의 작품을 휴대폰으로 촬영하는 모습인데 대상을 바라보는 관찰자를 그려왔던 이전 작품에서 보인 경향을 읽을 수 있다. 그의 '항구의 표정'은 건물 입구의 구조적 특징을 살려 어선 풍경을 담았다.

사요코 히라노Sayoko Hirano의 '바로 그곳에'는 삶에 대한 존경과 바다에 영감을 받은 즉흥적인 표현이라고 작가는 밝히고 있는데, 이 또한 네온에 가까운 화려한 색상을 사용하고 있고, 바다와 물결을 연상시킨다. 배민기의 '깡깡시티'는 전신주를 활용한 카툰 형식으로 벽면을 활용한 대다수의 사례에 비춰 독특한 방식인데, 길을 걸으며 가장 가깝게 마주할 수 있는 오브제인 전신주를 활용하고, 그림의 형식도 만화라는 점에서 흥미로운 접근이다.

아트벤치와 키네틱프로젝트

연령층이 높은 대평동의 주민 구성상 거리의 편의 시설 확충에 대한 요청이 있었고, 이를 고려하여 버스 정류장 주변에 벤치를 제작한 프로젝트를 진행했다. 대평동 거리는 번잡하지는 않지만, 통행로가 좁기 때문에 작가들은 이러한 지형에 적절한 형태를 구성하고, 지역의 특징을 포함한 작업을 제작한 것으로 보인다. 버스 정류장에 설치된 김성철의 '관계-어울림', 김상일의 '두드림'은 그 지역에서 쉽게 만날 수 있는 기계 부품을 활용하여 독특한 형태의 벤치를 만들었다. 모루 형태와 망치를 두드리는 모습, 기어 등 지역 공업사의 재료를 사용했고 배경 또한 선착장의 풍경을 부조로 제작한 뒤, 조명을 설치하여 주민의 이용에 도움이 되도록 하고 있다. 박상호는 수리 조선 관련 공업사에서 관찰되는 기계, 부속품 등 다양한 형태의 오브제를 하얀 타일 위에 푸른색으로 그려 기존 공간의 형태를 활용한 벤치 '깡깡이 마을'을 제작했다. 조형섭은 닻과 버려진 자개장을 결합한 형태의 '시간에 '닻'다'를 독특한 형태로 제작하였다. 신명덕은 대평마을회관 마당에 있었던 오동나무와 은행나무로 '기억/벤치'를 제작하였는데, 마을회관을 개축하면서 사라질 운명의 나무를 활용하여 오랫동안 주민들과 함께하였던 나무의 기억을 환기하고 있다.

키네틱 프로젝트는 마을의 상당수를 차지하는 선박 관련 공업사와 수리 조선을 포함한 산업현장이 주는 역동성, 그리고 많은 바람과 파도가 넘치는 지역의 특성을 살려 움직이는 작품을 제작했다. 다른 공공미술에선 쉽게 접할 수 있는 유형은 아닌 키네틱 작업은 재료 및 방식에서 지역과 환경의 특성을 반영했다. 김태희의 '바람과 시간'은 조타기 등 선박에서 사용되는 재료들로 키네틱 작품을 제작했고, 박기진의 '발견'은 조수 간만의 차이로 작동되는 작업이다. 이들의 설치 위치는 좁은 지역의 거리를 감안하여 길 바깥, 수면에 위치하였고 운전자에게는 일종의 위험을 알리는 표식 역할도 겸하고 있다. 실제로 차량이 바다로 빠지는 위험이 있는 곳에 설치됐다. 신무경 또한 '대평의 미래'라는 제목의 작품에서 닻과 키를 소재로 했다. 이러한 키네틱 작업은 기존의 조형물과 달리 스스로 움직임을 부여하면서 지역의 특성을 반영하려는 의도로 읽힌다.

사운드 및 라이트 프로젝트

사운드 작업은 늘 이 동네에 울려 퍼지는 망치질 소리에서 깡깡이마을이라는 별칭이 붙은 대평동의 특성을 반영한 것으로 볼 수 있다. 니시하라 나오Nao Nishihara의 '영도의 바람을 모아 세계로 울려 퍼지게 하다'는 바람개비 회전으로 소리를 만드는 구조로 제작됐고, 전광표는 '대평동의 소리-이것은 소음이 아니다'로 공업사를 포함한 마을 곳곳에서 들리는 여러 소리를 기록한다. 정만영의 '사운드 브리어 메우치'는 더 이상 쓸모 없어진 공중전화 부스와 안테나를 이용하여 대평동의 소리와 노래, 인터뷰 등을 담으면서 과거의 기억과 지역의 특징적 면모를 드러낸다.

크고 작은 부품 공업사와 선박 수리 관련 업체들이 있는 마을의 특성상 퇴근 시간 이후가 되면 대평동은 다른 주거지에 비해 행인이 급격하게 줄어들고 어두운 길이 많아진다. 라이트 프로젝트는 이러한 현상으로 불안감이 높아지는 마을의 상황을 고려해 진행됐다. 허수빈의 '구름 가로등'은 구름 모양의 조명을 골목과 마을 곳곳에 설치한 작업으로 낮과 밤 모두 시각적 신선함과 조명 효과를 가져다준다. 허수빈은 사진을 이용하거나 실제 집 모양의 공간 설치를 통해 빛을 주요한 요소로 오랫동안 작업해 온 작가이다. 박재현은 일찍부터 LED 조명을 작품에 활용한 작가로 마을안내센터에 라이트 작업 '바람이 불다'를 설치했다. 마치 마을 어귀를 알리는, 디지털 등대 같은 구조물의 라이트 작업은 밤이 되면 도시 불빛을 반영하는 듯 어른거린다. 이광기는 특유의 유머로 사회를 향한 날카로운, 때로는 날것의 질문을 던지는 작가다. 야간에 더욱 가시성이 좋은 '그때 왜 그랬어요'는 영도에 설치되어 자갈치시장 쪽에서 볼 수 있도록 설치했는데, 마치 과거를 질책하는 듯한 문구는 스스로에게 하는 질문으로도 들린다. 이 작품 설치 이후 몇몇 민원이 발생하기도 했는데, 아마 그 글귀가 부정적으로 받아들여지기 때문이었을 것이다. 이는 공공장소에서의 이미지와 텍스트가 얼마나 민감한지를 보여주는 사례기도 하다. 영국 작가인 벤튜Ben Tew는 '가닥들'이란 제목의 라이트 작업을 설치했다. 부두 주변 환경과 거리의 모습에서 착안한 이 작업은 마을을 오가는 배와 사람들의 움직임을 표현했다는 본인의 설명처럼 어망을 연상시키며 마을의 추상적인 상징물처럼 서 있다.

골목정원과 거리박물관 프로젝트

대평동 내부에 공터를 활용하여 작은 공원을 조성하고, 조선소 벽면 등을 활용하여 마을의 역사와 특징을 반영한 작업들을 곳곳에 설치했다. 백성준은 골목 안의 버려진 공간에 조경작업과 벤치 등이 포함된 '쌈지공원'을 조성했는데, 이후 주민들이 적극적으로 가꾸며 쉼터로 활용하고 있다. 공간을 정비하며 생긴 벽에 벽화가 그려지자, 주변 집들도 주민들이 미관을 가꾸기 위해 스스로 수리하고 도색하는 작업들이 이어졌다.

거리박물관 프로젝트는 마을의 역사와 특성을 남기는 작업들로 진행됐다. 심점환은 조선소 옆 긴 벽면에 1890년대부터 현재까지 이 지역 조선산업의 변천사를 입체 부조 위, 작가 특유의 섬세한 필치로 그려내 '깡깡이마을 수리조선의 변천사'를 완성시켰다. 우징은 본인 작업의 연장선에서 철재로 만든 선박 형태 '철로 소리를 만들다'를 제작했는데 이는 배경과 소리를 연상시킨다. 섬유 재질로 작업해 온 작가 윤필남은 '깡깡이 아지매'에서 아지매의 모습을 실로 표현했고, 김경화는 자개로 작업한 '대평동 마을회 현판'과, 지역에서 쉽게 마주하는 공구들을 부드러운 천으로 확대한 입체 작업 '공구들'을 제작했다. 윤필남, 김경화가 함께 참여한 '그 너머 우리의 풍경'은 부드러운 재질인 섬유를 활용하여 선박과 바다 풍경이 있는 마을을 표현하고 있는데, 마을다방 한쪽 벽면 전체에 연속적으로 부착된 이 작품은 이곳을 들어서는 방문객을 가장 먼저 맞이한다.

이들 프로젝트 작업 이외에도 '깡깡이 안내센터', '깡깡이 유람선', '신기한 선박체험관' 등 다양한 작업에 김덕희, 신무경, 서민정, 니시하라 나오, 첸사이 후아쿠안Chen Sai Hua Kuan의 작업들이 설치되어 관객을 맞이한다. 이들은 장소 특정적이고 지역과 연관된 오브제들을 활용하여 자신의 작업 경향과 결부시키고 있다.

깡깡이예술마을 공공미술의 의미와 쟁점

깡깡이예술마을에는 대부분 미술계에서 활발하게 활동하고 있는 작가들이 참여했고 각자 작업해 온 매체와 작품 경향의 연장선에서 지역의 상황을 고려한 작품들을 제작했다. 좁은 인도를 고려하여 작업의 크기를 조절하기도 하고, 자투리 공간을 활용하고, 전신주를 이용하고, 작업 자체를 바다에 위치시키거나, 벽면을 활용하여 이미 복잡한 거리에 최대한 혼잡을 가중하지 않으면서 가시성을 확보하려고 노력했다. 그뿐만 아니라 공공미술에서 만나기 쉽지 않은 새 빛, 소리, 움직임 등을 적극적으로 도입하면서 차별화된 시도를 한 것은 긍정적인 접근으로 보인다.

벽화나 입체작업들도 관리에 대한 비판이 있지만 뉴미디어 작업의 경우, 작동을 위한 유지 관리에 더욱 신경 써야 한다. 이러한 관리의 주체와 예산 문제는 공공미술 초기부터 제기되어 온 것으로 최근에는 관리 방안이나 보존 연한 등 구제적인 향후 계획을 포함하도록 하는 것과 같은 제도적 장치도 만들어지고 있다. 깡깡이예술마을은 작품이 설치되고 몇 해가 지난 2022년 현재에도 대부분의 작업이 비교적 잘 관리되고 있었다.

벽화의 경우, 제작자의 개성이 잘 드러나는 작업이 다수 제작됐는데, 의도한 것인지는 알 수 없으나 색상의 조합에서 유사한 흐름을 볼 수 있고 구체적 형상 중심이 아니라 색면추상이라 할 수 있는 비구상적 표현을 포함하여 그동안 공공미술 사업에서 진행한 일반적인 벽화와는 여러 부분에서 다른 면모를 보였다. 그럼에도 불구하고 지난 2022년 2월 <영도문화도시센터>의 사업 중 하나로 진행된 '이 벽화를 지워도 되겠습니까' 주제의 토론은 공공미술에 있어 벽화를 포함한 물리적 작업에 대한 논의의 장을 요청한 것으로, 이는 여전히 공공미술의 기존 형태에 대해 비판적인 견해가 존재한다는 것을 말하고 있다. 사실 이러한 논의는 한국의 공공미술 초기부터 제기된 문제인데, 예술계의 많은 사람이 벽화

혹은 조형물에 대해 부정적인 시각을 가지고 있다. 어쩌면 시간성을 가지고 있는 벽면을 그대로 두지 않고 무언가를 채워야 한다는 발상과 물리적 작품을 남기는 것이 공공미술이라는 생각 자체에 대한 비판이기도 하다.

공공미술 작품을 대하는 주민의 입장도 다를 수 있는데, 실제로 벽화에 대해 애정을 가진 주민들이 벽화를 가린 현수막에 반발하는 사례도 있었다고 한다. 또 다른 의견이 제기되기도 했는데, 그래피티 작가 구헌주는 공공미술의 영역에서 일반적으로 진행되는 벽화사업과 스트리트아트와는 구분되어야 한다고 말한다. 물론 정치 사회적 의지, 참여자의 예술적 의지, 결과물에 대한 예술성, 하위문화로서의 그래피티 등을 객관적으로 판단하기는 어렵지만, 거리에서 표현되는 여러 층위의 이미지 작업에 대한 차별성에 대한 인식을 환기하는 것이라 할 수 있다.

하지만 이 논의의 핵심은, 결과물의 성격이나 결과물에 대한 평가보다는 벽화와 조각 중심으로 진행되고 있는 공공미술 사업 자체에 대한 근원적 질문으로 봐야 한다. 이 질문은 다시 서두에서 언급했던 것처럼 특정 그룹에서의 논의만으로는 단편적일 수밖에 없으며 주민 개인에서부터 예술가와 도시 전반을 아우르는 긍정과 부정 요인을 포함하여 예산과 장기적인 정책 방향까지를 살펴야 한다. 깡깡이예술마을의 공공미술을 평가할 때 외형적으로 드러나는 미술 작품만이 프로젝트의 결과물이 아니라는 것을 고려할 필요가 있다.

전체적인 프로젝트를 살펴본 결과, 건축, 역사, 문학 등 여러 분야의 전문가들이 결합하여 인문학적인 접근을 시도했고 마을주민과 다양한 프로그램을 진행했다. 책자발간, 마을과 지역민의 삶에 대한 기억과 조명, 여러 방식의 모임과 발간, 아카이브 작업들이 진행됐다. 예를 들면, 영도와 인연이 있는 가수 최백호가 마을을 주제로 작곡한 '1950 대평동' 음원 제작, 마을의 이야기를 녹여 그림책으로 제작한 그래픽노블, 마을을 주제로 한 단행본 시리즈 발간 등 지역콘텐츠의 제작이 이뤄졌고, 마을 주민들이 참여한 '문화사랑방'과 '마을신문' 발간을 비롯하여 '마을해설사 동아리', '마을정원사 동아리'와 '목수 동아리', '시화 동아리', '댄스 동아리'와 '민요 동아리' 등 다양한 주민참여 프로그램이 진행됐다. 이러한 활동과 프로그램들의 성과들이 '깡깡이 안내센터'와 '깡깡이 마을공작소',

‘깡깡이 유람선’과 ‘신기한 선박체험관’, ‘깡깡이 생활문화센터’ 등과 같은 거점공간의 조성으로 이어졌다. 앞서 살펴본 깡깡이예술마을 공공미술 작업은 이러한 전체 사업의 맥락 위에서 살펴봐야 그 의미와 한계를 제대로 평가할 수 있다.

미술 이외 다양한 프로젝트들을 함께 살펴본 이유 중 하나는 미술만 따로 분리해서 진행된 것이 아니라 전체적인 공감과 소통 관계가 유지되면서 진행되었는지, 어떤 흐름 속에서 미술이 포함되었는지를 확인하기 위해서이다. 깡깡이예술마을 공공미술 프로젝트들이 주민들과 상당히 밀접한 관계 속에서 진행된 것으로 보이는데 특히 여기서 주목해야 할 것은 주민자치회가 깡깡이예술마을 이후까지도 지속적인 관리 및 유지를 맡고 있다는 점이다. 깡깡이예술마을의 공공미술 작업이 비교적 잘 유지되고 있다는 사실은 이 프로젝트에 대해 주민들의 긍정적인 참여와 평가가 있었다는 점을 보여주고 있다. 사실 프로젝트 전반을 살펴보면서 전문가, 예술가, 주민이 참여하는 프로젝트뿐만이 아니라, 마을회관 조성을 위한 건축과 부동산의 확보나 진행 등 법적, 행정적 문제를 해결하고 추진하는 과정이 매우 어려웠을 것으로 미뤄 짐작할 수 있다. 특히 자갈치와 마을을 오가던 끊어진 뱃길의 복원은 불가능에 가까운 행정적 법적 문제를 극복하면서 진행됐고 마을다방과 공작소 등 여러 공간과 프로그램이 사업이 종료된 이후에도 주민들의 주도로 지속 운영되고 있는 것은 상당히 이례적이라 할 수 있다.

지속 가능한 공공미술의 실험

깡깡이예술마을을 전반적으로 살펴보면서 마을이 가진 유무형의 유산을 새로운 가치로 연결하려는 의지를 읽을 수 있었다. 지역의 정체성과 역사, 마을의 특성을 반영하며 전통적인 매체만이 아니라 빛과 소리, 움직임 등 다양하고 새로운 장르를 도입하고 있으며, 폐허와도 같던 유휴 공간에 쌈지공원을 조성한 이후 주민이 주도적으로 쓰임새를 더 해 나가는 모습은 인상적이었다. 선박의 여러 장치를 활용한 조타체험이나 선박 위 조경작업과 갑판과 기관실에 다양한 작품을 설치한 선박 체험시설 등은 해양환경을 잘 활용한 시도라 할 수 있다. 해수면에 작업을 설치하거나 조수간만의 차이, 바람을 이용한 키네틱 작업 등도 지역의 환경에 대한 고민을 통해 차별적 사례를 제시하고 있다.

무엇보다도 마을다방을 포함한 다른 프로젝트들이 지속적으로 운영되고 있다는 점에서도 평가를 받을 만하다. 깡깡이예술마을에서 주민 참여와 소통이 다른 지역보다 용이했던 이유 중 하나는 이전부터 마을 공동체가 형성되어 적극적으로 활동하고 있었기 때문일 것이다. 보통 프로젝트를 수행하면서 호소하는 어려움 중 하나가 주민의 의견을 수렴할 통로가 불분명하다는 점이다. 즉 의사 결정의 주체가 없거나 혹은 다수로 나누어져서 반목 혹은 대립적 상황에 있다면 프로젝트의 진행이 더욱 어려워진다. 이에 비해 오래전부터 활동하고 있는 <대평동마을회>를 창구로 하여 소통하고 협력 할 수 있었던 것은 장점이었을 것이다. 물론 사업 주체들의 부단한 소통 노력이 있었다는 것은 의문의 여지가 없다. 마을 내에 사업단을 설치하고 초기 단계부터 마을회 임원들을 비롯하여 주민들과 만나고 소통하면서 발전시킨 전체 프로젝트의 진행 과정에서도 긍정적인 면을 찾을 수 있다.

공공미술은 공동체의 바람, 공동체 구성원 중 개인의 의견, 작가의 의지, 예술계의 시선, 시민의 평가, 주최 측의 계획, 지자체와 기관의 목표와 목적 등등 각자의 욕망과 바람, 평가가 혼재하기 마련이다. 미학적, 정치적 이해가 상충하기도 한다. 해당 지역의 주민, 공동체의 의지가 가장 중요하다고 할 수 있지만 사실 공적인 공간에서의 작품은 해당 지역 주민만의 것이라고도 할 수 없으며, 또한 예술가와 예술계의 의지로만 가능할 수도 없고, 지원하고 실행하는 기관의 결과물로만 생각해서도 곤란하다.

지금까지 예술과 사회가 변화해 온 것처럼, 공공미술 또한 변화하면서 전개될 수밖에 없다. 미술관이나 박물관 소장품과 달리 항구적 보존을 담보하는 것이 아니라면, 정책과 방향, 매체나 방식을 포함하여 변화할 것이고, 프로젝트와 작업들도 도시의 변화, 예술 혹은 예술작품을 대하는 대중의 시선과 인식의 변화에 따라 달라질 것임은 분명하다. 다만 현재 상황에서 예술의 참여적 성격과 공적 역할이라는 측면을 고려하고, 예술성과 대중성, 예술과 공공이 만나는 가장 나은 접점을 함께 모색하는 고민은 지속되어야 할 것이다.

도시를 새롭게 가꾸는 예술, 깡깡이예술마을의 서사

박형준

경상남도 밀양에서 태어나 부산에서 성장하였다.
현재 부산외국어대학교 한국어 교육 전공
교수로 일하며 학생들과 함께 공부하고 있으며,
문학비평과 교육을 통해 우리 삶을 새롭게
변화시키는 계기를 만들고자 노력하고 있다.
저작으로 '로컬리티라는 환영', '마음의 앙가주망',
'함께 부서질 그대가 있다면', '독학자의 마음' 등이
있다.

사람, 사연, 서사

사람이 살아가는 곳에 사연이 있다. 사연이 넘치는 곳에서 새로운 서사가 만들어진다. 부산광역시 영도구 대평동에 조성된 깡깡이예술마을의 특별한 이야기 역시 이러한 사연에 바탕하고 있다.
사연이라는 말의 한자어 표기를 들여다보면, 몇 가지의 의미를 떠올릴 수 있다. 먼저 한 개인이 살아온 삶의 내력을 뜻한다. 그 사사로운 인연私緣이 모든 값진 이야기의 출발점인 셈이다. 사연이 사적 관계로부터 시작되는 것은 사실이지만, 각각의 삶의 내력이 오로지 개별적 체험과 술회에 머무는 것은 아니다. 우리의 삶을 구성하는 일에는 반드시 앞뒤 사정과 까닭이 있으며, 그래서 한 사람의 인생을 두고 제각기 복잡한 '사연事緣이 있다'고 말하기도 한다.

개개인의 사연은 단 한 번도 생각하지 못한 이들과의 관계, 경험, 의지와 연결되고 의미화되며, 그것은 우연한 계기에 의해 새로운 사건으로 재창조되기도 한다. 그러므로 2015년부터 시작된 깡깡이예술마을 조성사업 역시 단순한 도시재생 프로젝트가 아니라 지금의 대평동에 터를 두고 살아온 이들의 사연을 묻고, 기록하며 엮어, 새로운 이야기를 창조한 서사적narrative 산물로 이해되어야 한다. 이것이 '도시를 기억하고 탐험'하는 깡깡이예술마을의 한 측면을 서사의 관점에서 이야기해 보고자 하는 이유이다.

그렇다면 내러티브로서의 깡깡이예술마을에 관한 이야기를 어떻게 시작하면 좋을까, 고민이 된다. 자칫 외부자의 해석과 평가가 사실을 과잉 해석하거나 비틀 수 있기 때문이다. 기본에서 출발하는 수밖에 없다. 먼저, 깡깡이예술마을의 형성 과정을 기록과 영상자료를 통해 하나씩 면밀하게 들여다보는 것이다. 다음으로, 대평동 항구와 골목을 다시 걸어보고, 느끼고, 분석하면서 깡깡이마을의 과거와 현재 속에 접혀 있던 이야기가 어떤 서사화 과정을 통해 펼쳐질 수 있었는지 재구성해 보는 것이다.

이러한 탐사 과정에서 유의해야 하는 점이 있다. 지금까지 구축된 공간, 커뮤니티, 예술문화, 아카이브가 소중한 결과물이긴 하지만, 그 사업성과에 압도되지 않도록 비평적 거리감을 유지하는 일이다. 만만한 일이 아니지만, 하나씩 살펴보도록 하자.

시간과 공간, 그리고 사람들

2015년 8월, 영도구는 부산광역시의 공모 사업 '예술상상마을'에 선정된다. 지역 도시재생과 마을 만들기의 새로운 서사가 시작된 순간이다. 이듬해 5월 깡깡이예술마을 사업단이 본격적으로 현장 업무를 시작하면서, 근대 수리조선소가 위치해 있던 대평동에 새로운 서사가 만들어지기 시작한다.

아주 오래전부터 이 공간에서 살아왔고, 또 살아가고 있는 사람들에게 아무 '사연'이 없었기 때문이 아니다. 내러티브는 단순한 이야기와 구분된다. 서사는 주체의 목적에 따라 대상의 성격과 내용을 전혀 다른 방식으로 재창조할 수 있다. 국립국어원의 '우리말샘'에서도 내러티브란 정해진 시공간 내에서 인과 관계로 이어지는 사건들의 연속을 지칭하는 것으로 정의하고 있다. 즉, 깡깡이예술마을은 대평동이라는 장소의 가치를 발견하고 서사화하는 과정을 통해 재창조된 공간이며, 그 이야기의 중핵에는 오랜 세월 그곳에서 살아가고 있는 이들의 사연事緣이 자리 잡고 있다. 깡깡이예술마을이 위치해 있는 대평동의 지명과 별칭이 주빈, 주비, 주갑, 풍발포, 대풍포, 깡깡이마을 등으로 변화되며 다양하게 명명되어왔던 것처럼, 이곳의 서사화 과정에서 가장 강조되는 것은 '역사성'이다.

지금까지 간행된 깡깡이예술마을 관련 문헌자료와 영상자료를 분석해 보면, 대평동의 역사적 내력을 서사화하는 과정은 크게 '시간', '공간', 그리고 '주민들의 사연'이라는 세 가지 축을 중심으로 참신한 히스토리를 구축해 왔다는 것을 알 수 있다.

첫째, 깡깡이예술마을은 한국 근현대사의 굴곡진 전개 과정을 압축하고 있는 시간성에 기초해 있다. 개항과 더불어 최초의 근대적 조선소가 만들어졌다는 기념비적 사건을 통해 대평동을 조선산업의 제1번지로 기억하게 한다. 이는 지역 조선산업의 규모나 위상을 강조하기 위한 것이라기보다는, 대평동의 시간을 그저 백 년 전의 과거에 방치하지 않고 적극적으로 의미를 부여하며 해석함으로써 현재의 시간대에 배치하는 서사이다.

그 근거는 두 가지이다. 먼저, 대평동의 다양한 이야기를 세 권에 걸쳐 소개하고 있는 『깡깡이마을 100년의 울림』의 첫 번째 저작이 '역사 편'으로부터 시작하고 있으며 깡깡이마을의 정체성 역시 '한국 근대 조선의 발상지'로 기록하고 있다는 점이다. 다음으로 '깡깡이예술마을 가이드북'을 비롯한 대부분의 소개 글에서 이곳의 특장점을 개항과 일제강점기를 거쳐 형성된 '수리조선업의 메카'로 서술하고 있다는 사실이다.

> **"1876년 개항 이후, 대풍포를 찾는 사람이 늘기 시작했습니다. 일본인들이 조선의 황금어장을 잠식하기 위해 부산으로 건너왔기 때문입니다. 1887년 일본인 조선업자 다나카 와카지로가 부산 남포동 해안에 철공소를 개업했으며, 그의 아들 다나가 키요시가 1910년대 우리나라 최초의 근대식 조선소인 '다나카 조선소'를 영도에 설립했습니다. 그 자리는 현재 '우리조선㈜'이 있는 곳입니다."**[1]

위의 글에서 보듯, 지금의 깡깡이예술마을을 상징하는 장소 정체성은 19세기까지 연결되어 있다. 당시 사업단의 예술감독을 맡고 있던 이승욱 역시 이 프로젝트는 "오래된 것을 기억하고 드러내는 시도"이며, "오래된 것은 단지 지나간 과거가 아니라 과거에서 현재까지 이어져 오는 전통과 문화에 연관된 것"이라고 이야기하면서 깡깡이예술마을의 '시간과 역사'의 지속성을 강조했다.[2]

한 가지 놓치지 말아야 할 것은, 대평동의 역사성은 추상적 시간 개념이 아니라, 한국 근현대사의 핵심 사건이 현재의 장소들과 인과 관계를 맺고 있다는 점이다. 이를 연대기적 방식에 따라 재구성하면 다음과 같다.

대평하나빌아파트 자리와 1905년 일본인이 설립한 허비제염소, 옛 영도도선장 자리와 1910년대 동력 도선 도입, ㈜우리조선 부지와 1910년대 최초의 근대적 조선소 설립, 대풍포와 1920-30년대 매축공사, ㈜동명기술 창고와 1930년대 중반 조질창고, 18통 제주골목과 전후戰後의 제주 이주민, 이북동네와 한국전쟁 피란민, 양다방과 1970-80년대 수리조선산업의 호황, 대동대교맨션과 1980년대 부산 최초의 주공복합아파트 건축 등이다. 여기에 1960-80년대 영도 수리조선산업의 성장과 호황이 '깡깡이 아지매' 혹은 '깡깡이마을'이라는 별칭을 만들어냈다는 사실까지 더하면, 대평동이 왜 근대 부산의 기원을 상징하는 역사적 공간이 되는지 쉽게 이해할 수 있다.

둘째, 깡깡이예술마을 사업단은 대평동의 공간적 특징이 확장성과 포용성이라는 점을 포착하고, 이를 지리학, 건축학, 사회학 등의 학술적 근거를 통해 스토리텔링하여왔다. 정재훈 교수의 '지도와 사진으로 보는 깡깡이마을'에 따르면, 대평동은 19세기까지 '주갑(도)'으로 불리며 영도 본섬과 연결되어 있지 않았다. 1910년대, 1930년대 두 차례의 매립과 개발을 거치며 두 지역이 연결되어 현재의 지형을 갖추게 된 것이다.

도시공학적 관점에서 볼 때 대평동은 영도와 원도심을 연결하는 공간적 확장성을 지니고 있다. 동아시아의 지정학적 측면에서도 근대 조선산업과 해양 네트워크 확대의 조건을 갖춘 곳으로 발전해 왔다. 실제로, 대평동은 1920-30년대 이후 산업과 상업시설이 확대되고 노동력 인구가 급격하게 유입되면서 확장되기 시작했으며, 1970-80년대 정부의 산업화 기조와 조선공업의 육성에 따라 최고의 전성기를 맞게 되었다. 이러한 서사에 대한 근거는 깡깡이마을의 시대별 변천 양상에 대한 연구를 통해 뒷받침되고 있다.

> **"1920년대에는 영도의 토지 개발이 활발히 이루어져 인구 유입도 상당했을 것으로 보이며, 풍부한 주변 노동력을 바탕으로 조선 관련 업종이 대평동에도 대거 들어섰다. 또한 대평동 다리 건너 영도 쪽에는 병원과 약방 등 다른 서비스 업종도 들어서는 등 부산 도심과 별도로 현재 남항서로를 따라 부도심이 형성되었다. (…) 1928년 4개였던 조선소가 10년 새 두 배인 8배로 늘었다."**[3]

위의 인용 자료에서 확인할 수 있듯, 대평동의 공간적 확장과 산업 인력의 유입은 자연스럽게 타향 출신의 이주민 수를 증가시켰다. 지역, 출신, 언어, 문화가 다른 이들이 함께 거주하다 보면 많은 갈등이 발생할 수 있다. 그러나 대평동 주민들은 포용적 태도와 소통으로 이를 슬기롭게 극복해 왔다. 그 예를 1955년 10월부터 시작된 <대평동마을회>에서 찾아볼 수 있으며, 깡깡이예술마을 사업단은 60여 년간 이어져 온 마을 커뮤니티의 가치를 발굴하고 기록했다.

물론 대평동의 공간적 개방성과 포용성은 학술적 연구와 아카이브 구축만이 아니라, 감성적 언어를 통해 풍성한 의미를 갖게 되기도 했다.

『깡깡이마을 100년의 울림-역사』와 '깡깡이예술마을 가이드북'에서 확인할 수 있듯, 대평大平이라는 지역명은 "거친 삶을 품어주는 커다란 평안함" 혹은 "바람도, 사람도, 들어오는 모든 것을 품어주는" 곳으로 의미화되고 있다.

깡깡이예술마을의 공간적 개방성과 포용성은 대평이라는 지명에 참신한 문학적 해석을 더한 것이 분명하지만, 그것은 허구가 아니라 지명의 역사성에 근거한 것이다. 또한 『깡깡이마을 100년의 울림』 시리즈에 등장하는 선원, 해녀, 피란민, 깡깡이 아지매, 공업소 기술자 이야기와 하은지 작가가 인터뷰하고 재구성한 『영도 타향에서 고향으로』에 수록된 여덟 분의 이향과 출향 사연 역시 이를 방증한다.

대평동이 한국의 근대화, 산업화 과정 속에서 고향을 떠난 이들에게 개방적이고 포용적인 장소, 즉 "바다를 내어 주고 / 방 한 칸을 내어 주고 / 거리를 내어 주고 / 가게 한 칸을 준 곳"으로 재구성될 수 있었던 것은 이러한 사연을 소중하게 다루고 서사화했기 때문이다.

셋째, 깡깡이예술마을의 가장 큰 미덕은 이곳에서 오랜 기간 살아온 분들의 복잡한 사연과 감정을 미시적 역사의 영역으로 끌어냈다는 점이다. 대평동의 시간과 공간에 새로운 의미와 감각을 부여하는 깡깡이예술마을의 서사화 과정은 '보통 사람(들)'의 생애와 일상적 삶을 토대로 구성되고 있으며, 이는 현지 탐방, 인터뷰, 라포 형성, 참여 관찰 등과 같은 문화기술지적 방법field work을 통해 다채로운 이야기로 만들어져 왔다.

이 글을 준비하면서 느낀 것이지만, 깡깡이예술마을의 조성 과정은 객관적인 조사와 탄탄한 연구 성과를 기반으로 하고 있다. 아마도 그것이 지속 가능한 마을브랜드와 콘텐츠를 구축하게 된 동력 중 하나로 보인다.

그러나 이보다 더 핵심적인 것은 개별화되어 있던 주민들의 '의사소통 회로'를 복원하고 연결함으로써, 사적 사연과 경험을 공적 교류의 계기로 고양했다는 점이다. 2017년 3월부터 본격적으로 운영된 '마을 동아리' 프로그램과 커뮤니티 구축이 구체적인 주민 매개 사업의 예이다.

"2017년 3월부터 마을 동아리 연습실에서 마을 주민들이 간식을 나누며 이야기를 듣고, 나누고, 서로의 안부를 묻는 일들이 생겨났다. 이들은 함께 마을의 역사를 공부하고, 마을신문을 만들고, 시를 쓰고, 춤을 추고, 손에 흙을 묻히며 마을의 정원을 가꾼다. 깡깡이예술마을 주민들은 '마을 동아리'라는 이름 앞에 나란히 모였다."[4]

깡깡이마을의 재밌는 사연을 체계적인 교육과정 속에서 배우고 공유하는 '마을해설사 동아리', 대평동의 크고 작은 일들을 전하고 기록하는 '마을신문 동아리', 녹지가 부족한 대평동에 푸른 희망을 심고 가꾸는 '마을정원사 동아리', 주민들의 몸과 마음을 건강하고 유쾌하게 변화시키는 '댄스 동아리', 조금은 쑥스럽고 부끄럽지만 자신의 이야기를 진솔하게 표현하고 그리는 '시화 동아리', 그리고 차를 매개로 주민과 방문객들이 모여 새로운 이야기를 만들어가는 '마을다방 동아리' 등은 주민들의 기억과 경험을 공통의 사연으로 다시 직조하는 주체적인 서사 만들기의 과정을 보여준다.

동아리 활동은 주민의 삶과 문화예술을 연결함으로써 대평동에서의 곡진한 사연을 커뮤니티 속에서 발굴하고 공유하는 매개 역할을 했다. 또 각 동아리의 구성, 만남, 활동, 평가의 과정을 통해 대평동의 새로운 이야기를 만들어가는 계기를 만들기도 했다. 처음에는 사업단이 주축이 되어 개개인의 사연을 꺼내놓는 마중물 역할을 했지만, 동아리 활동을 진행하면서 주민들은 스스로 '자기 경험'을 서사화하는 언어와 표현 방식을 갖게 되었다. 깡깡이마을 어르신들의 기억과 체험을 한 편의 서정적 스토리로 재구성한 시화집 『부끄러버서 할 말도 없는데』가 대표적인 사례이다.

한 개인에게 서사란 우리가 특정한 장소와 시간의 흐름 속에서 체험하고 느낀 것들을 나름의 언어로 전달하는 과정과 결과를 총칭한다. 복잡한 구조와 담론 체계를 갖추고 있는 픽션만이 서사가 아니라, 자기 자신이 실제로 보고 듣고 느끼고 생각한 것들을 각자의 말로 구성해서 풀어내고 의미화한 것이 서사이다. 문학교육에서도 이것을 '자기 경험의 서사화'라고 해서 중요하게 다룬다. 『부끄러버서 할 말도 없는데』를 공동 집필한 김길자, 김부연, 김순연, 박송엽, 서만선, 조창래 여섯 분의 시, 편지, 전기는 수십 년간 대평동에서 살아오면서 겪었던 자기 경험의 서사화라는 측면에서 매우 주목할 만하다.

개개인의 입장에서 보자면 자신의 사연은 사소하고 부끄러운 일처럼 느껴질 수 있다. 그래서 주민들은 겸허하게 '할 말도 없는데'라고 이야기한다. 그러나 김길자, 김부연, 김순연, 박송엽, 서만선, 조창래 여섯 분의 깡깡이마을 체험과 기억은 근현대사를 관통해 온 의미 있는 경험이자, 각자의 삶을 되돌아보고 정화하는 역할을 하기에 부족함이 없다. 대평동에서 십수 년을 살아오면서 겪은 일로 인한 기쁨, 슬픔, 고통, 안타까움 등을 거리를 두고 회고함으로써 묵은 감정을 해소하고 자신의 삶을 다독일 수 있는 기회가 된다. 그것이 『부끄러버서 할 말도 없는데』의 자기 서사가 우리에게 전하는 뜨거운 감동이다.

삶 자체가 문학과 예술이 되는 이야기

지금까지 살펴본 바와 같이, 2015년부터 2019년까지 이루어진 깡깡이예술마을 조성사업은 대평동의 시간, 공간, 그리고 주민의 기억과 경험을 매개하는 역사적 스토리텔링 과정을 거쳐 새로운 장소 서사를 구현하고 있다. 이것은 지금까지 존재하지 않았던 새로운 삶의 내러티브다.

이렇게 보면, 대평동의 역사와 숨겨진 사연을 바탕으로 깡깡이예술마을의 서사를 구성해 온 과정 자체가 한 편의 문학이자 예술처럼 보이기도 한다. 위대한 문학과 예술 작품이 중요한 것이 아니라, 문학적으로 사유하고 예술적으로 실천하는 삶/소통 방식에 주목해야 한다. 도시재생이란 이러한 패러다임 전환 과정을 통해서만 자본 친화적 공간 구조에 인간/생태의 가치와 생활을 힘겹게 싹 틔울 수 있기 때문이다.

2015-2019 깡깡이예술마을 사업단은 문화예술의 매개 역할을 강조하는 한편, 서른 개 이상의 공공예술 프로젝트가 주민들의 삶과 괴리된 단순한 전시물에 그치지 않도록 애썼다. 차가운 아파트의 벽체에 깡깡이 어머니의 마음을 담아 표현하고, 수리조선소 폐자재, 공업사 부품, 해방 후에 버려진 적산가옥의 가구, 배의 조타 장치 등을 활용하여 주민들이 쉬어갈 수 있는 벤치와 조명, 지역의 상징물을 만들었다.

하지만 깡깡이예술마을의 이야기를 만들어가는 과정이 매번 조화롭게 이어지는 것만은 아니다. 주민, 활동가, 예술가, 기획자, 행정가 사이에 소통의 격차가 발생할 수 있으며, 공공예술과 문화, 도시재생의 의미를 바라보는 관점에 따라 판단과 평가가 달라질 수도 있다. 2022년 봄 쟁점이 된 '이 벽화를 지워도 되겠습니까?' 논란은 이를 직핍하게 보여주는 문화적 사건이다.

'이 벽화를 지워도 되겠습니까?'는 <영도문화도시센터>가 기획한 '프로젝트 영도'의 공론장 사전 퍼포먼스였다. 이 과제에 참여한 예술가, 기획자, 비평가, 연구자들은 기존의 지역 도시재생 사업을 비판적으로 사유하며 도전적인 질문을 던졌다. 이는 한국 공공예술의 방향과 한계를 성찰하게 하는 전위적 비평이라는 측면에서 의미를 부여할 수 있다. 그러나 '프로젝트 영도'의 선언적 작업에는 두 가지의 자기 점검이 결여되어 있다.

첫째, 영도 곳곳을 탐방하며 기존의 공공예술 작업에 대한 연구와 비평을 수행하는 과정에서 수많은 서사를 축적하고 공유해 온 이들의 목소리에 귀 기울이고자 하는 노력은 충분하였는가? 이것은 비평의 대상에 대한 이해와 균형에 관한 문제이다. 둘째, 전문가 집단의 메타비평이 기존의 서사적 질서에 균열을 주고 불온한 질문을 제기하는 것이라는 데는 동의하지만, 그것이 지역과 주민에 대한 이해 없는 환원론적 비판에 머문 것은 아닌가 하는 점이다. '이 벽화를 지워도 되겠습니까?'라는 질문은 과연 이 두 가지 자기 성찰을 담보한 것인지 스스로 질문해 보아야 한다. 비슷해 보이는 벽화에도 맥락과 서사가 있다. 벽화가 그려진 상황과 사연을 이해하지 못한 채 벽화 자체를 낡은 공공예술의 방법으로 환원하는 것이야말로 나이브한 비평 태도이다. 비평은 비교와 평가를 담보한 것이기에 추상적이고 자극적인 선언이 아니라, 비평 대상에 대한 구체적 이해와 정교한 논리에 입각한 것이어야 한다.

이처럼, 한 지역에 흩어져 있던 사연을 모으고 재현/비평하는 작업은 쉽지 않은 일이다. 애초에 깡깡이예술마을의 이야기를 하나의 통일된 내러티브로 구현한다는 것 자체가 불가능하며, 사람과 사람 사이에 숨겨져 있는 감정적 크레바스를 건너는 일도 보통 곤혹스러운 일이 아니다. 2015-2019 깡깡이예술마을 사업단이 대평동의 역사성에 주목하면서 주민 주도적 마을 만들기와 자기 경험의 서사 구현에 공을 들인 이유는 그 때문이 아닐까.

1 깡깡이예술마을사업단, 『깡깡이예술마을 가이드북』, 부산광역시 영도구·영도문화원, 2018, p.12

2 깡깡이예술마을사업단, 『깡깡이마을 100년의 울림-생활』, 부산광역시 영도구·영도문화원×호밀밭, 2018, p.7

3 깡깡이예술마을사업단, 『깡깡이마을 100년의 울림-역사』, 부산광역시 영도구·영도문화원×호밀밭, 2017, p.186-189

4 깡깡이예술마을사업단, 『깡깡이마을 100년의 울림-생활』, 부산광역시 영도구·영도문화원×호밀밭, 2018, p.94

5 깡깡이예술마을사업단, 『부끄러버서 할 말도 없는데』, 부산광역시 영도구·영도문화원×호밀밭, 2019

6 『부산일보 : '이 벽화를 지워도 되겠습니까?' 도발적 질문의 내막은…』, 2022년 2월 20일

깡깡이예술마을 사업 소개 2
- 공공예술과 콘텐츠 사업

1 공공미술 프로젝트

깡깡이마을은 8개의 수리조선소를 비롯해 300여 개에 이르는 공장 및 부품업체들이 밀집한 공업지역이다. 깡깡이예술마을 공공미술 프로젝트는 이 지역에 부족한 주민들의 편의시설과 휴게공간을 확충하는 것을 일차적인 목적으로 삼았다. 예술가들의 창의적인 작업을 통해 낡은 공장의 담벼락을 채색하고 버스정류장의 벤치를 설치하고, 폐가 공터에 쌈지공원을 만들고 어두운 뒷골목을 밝히는 가로등을 세웠다. 이 작업은 동시에 소리와 빛, 바람과 색채 등 다양한 매체와 요소를 활용한 다양한 예술작품을 통해 깡깡이마을의 정체성과 특성을 드러내는 독특한 마을 콘텐츠와 경관을 조성하는 것을 목표로 진행됐다.

추진과정

페인팅시티	**구헌주** '항구의 표정' '풍경들'
	배민기 '깡깡시티'
	신혜미 '영도 사람들'
	사요코 히라노(일본) '바로 그곳에'
	정크하우스 '수리가 있는 마을' '컬러풀 스트리트' '허물어진 단면의 미학'
	제 팔리토(브라질) '경외로운 자연'
	헨드릭 바이키리히(독일) '우리 모두의 어머니'
아트벤치	**김상일** '두드림'
	김성철 '관계-어울림'
	박상호 '깡깡이마을'
	신명덕 '기억-벤치'
	조형섭 '시간에 '닻'다'
골목정원 프로젝트	**백성준** '쌈지공원'
	가치예술협동조합 '골목정원'
사운드 프로젝트	**니시하라 나오(일본)** '영도의 바람을 모아 세계로 울려 퍼지게 하다'
	전광표 '대평동의 소리-이것은 소음이 아니다'
	정만영 '사운드 브리어 메우치'
	첸 사이 후하 쿠안(싱가폴) '써라운드 사운드 스피커'
라이트 프로젝트	**박재현** '바람이 불다'
	이광기 '그 때 왜 그랬어요'
	허수빈 '구름 가로등'
키네틱 프로젝트	**김태희** '바람과 시간'
	박기진 '발견'
	신무경 '대평의 미래'
상징물 조성	**공간디자인 마루**

정크하우스 | 수리가 있는 깡깡이마을 (출처: 깡깡이예술마을 사업단)

정크하우스 | 컬러풀 스트리트 (출처: 깡깡이예술마을 사업단)

정크하우스 | 허물어진 단면의 미학 (출처: 깡깡이예술마을 사업단)

신혜미 | 영도 사람들 (출처: 깡깡이예술마을 사업단)

신무경 | 대평의 미래 (출처: 깡깡이예술마을 사업단)

제 팔리토 | 경외로운 자연 (출처: 깡깡이예술마을 사업단)

구헌주 | 항구의 표정들 1 (출처: 깡깡이예술마을 사업단)

구헌주 | 항구의 표정들 2 (출처: 깡깡이예술마을 사업단)

헨드릭 바이키르히 | 우리 모두의 어머니 (출처: 깡깡이예술마을 사업단)

사요코 히라노 | 바로 그곳에 (출처: 깡깡이예술마을 사업단)

배민기 | 깡깡시티 (출처: 깡깡이예술마을 사업단)

김상일 | 두드림 (출처: 깡깡이예술마을 사업단)

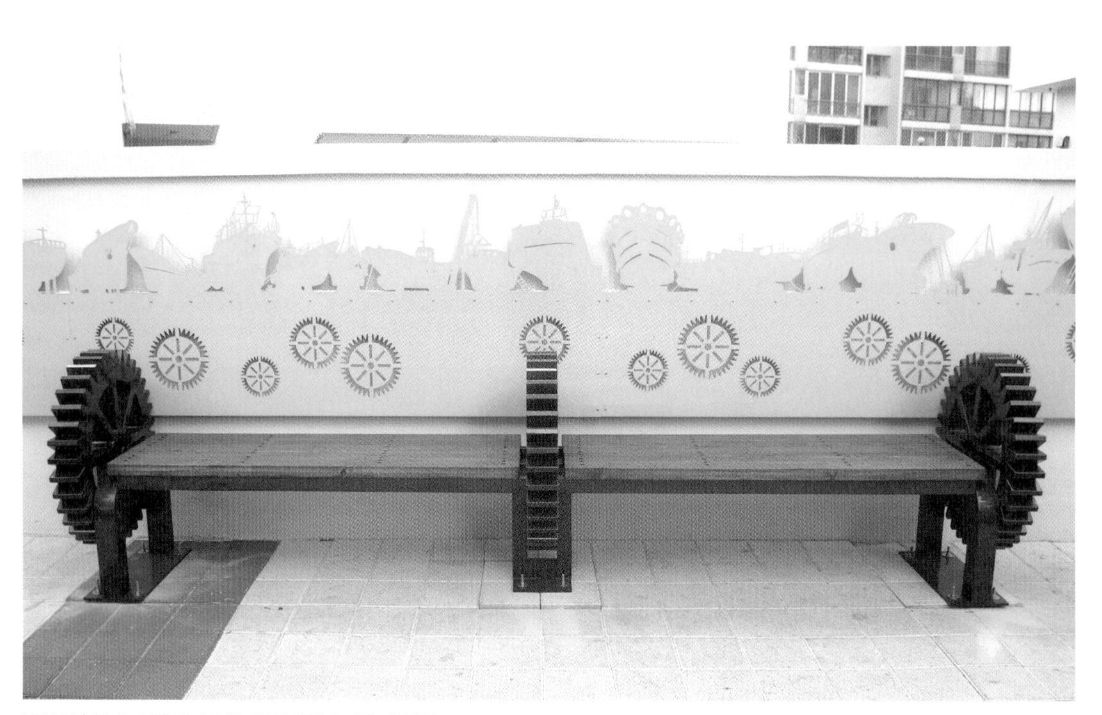

김성철 | 관계-어울림 (출처: 깡깡이예술마을 사업단)

신명덕 | 기억/벤치 (출처: 깡깡이예술마을 사업단)

조형섭 | 시간에 '닻'다 (출처: 깡깡이예술마을 사업단)

박상호 | 깡깡이마을 (출처: 깡깡이예술마을 사업단)

백성준, 가치예술협동조합 | 쌈지공원-골목정원 (출처: 깡깡이예술마을 사업단)

전광표 | 대평동의 소리-이것은 소음이 아니다 (출처: 깡깡이예술마을 사업단)

공간디자인 마루 | 상징물 조성 (출처: 깡깡이예술마을 사업단)

정만영 | 사운드 브리어 메우치 (출처: 깡깡이예술마을 사업단)

박재현 | 바람이 불다 (출처: 깡깡이예술마을 사업단)

박기진 | 발견 (출처: 깡깡이예술마을 사업단)

첸 사이 후하 쿠안 | 써라운드 사운드 스피커 (출처: 깡깡이예술마을 사업단)

김태희 | 바람과 시간 (출처: 깡깡이예술마을 사업단)

허수빈 | 구름 가로등 (출처: 깡깡이예술마을 사업단)

니시하라 나오 | 영도의 바람을 모아 세계로 울려 퍼지게 하다 (출처: 깡깡이예술마을 사업단)

이광기 | 그때 왜 그랬어요 (출처: 깡깡이예술마을 사업단)

2 부산·셰필드 인터시티 아트 프로젝트

연계사업 한·영 문화예술 공동기금 프로젝트

한국문화예술위원회의 '한·영 문화예술 공동기금 프로젝트' 공모에 선정되어 <문화예술 플랜비>와 <사이트갤러리Site Gallery>가 협력하여 진행한 한영 문화예술교류 프로젝트이다. 당시 두 단체는 각각 부산과 셰필드 구도심 지역의 쇠퇴한 공업지역에서 깡깡이예술마을과 시티 오브 아이디어즈City of Ideas 프로젝트를 진행하고 있었다. 이 프로젝트는 예술가들뿐만 아니라 건축가와 연구자 등 다양한 분야의 전문가들이 행정과 지역주민들과 협력하여 문화예술을 통해 쇠퇴한 공업지역에 새로운 활력을 불어넣은 일종의 문화적 도시재생사업이다. 이 교류 프로그램을 통해 3명의 한국 예술가들이 셰필드에, 3명의 영국 작가들이 부산에서 벽화와 라이트아트, 그래픽노블 작품을 남겼다. 셰필드에서 진행한 한국 작가들의 작품이 영국 현지 가디언지The Guardian에 소개되기도 했고 영국 대외통상부가 주관하는 혁신대상Innovation is Great play 부문 수상자로 선정되기도 했다.

벽화	**구헌주** 'Imagine'
	폴 모리슨 '쇠뜨기'
라이트아트	**벤튜** '가닥들'
	허수빈 '구름 가로등', '벽속의 집'
설치작품	**조형섭** '모든 곳이나 아무 곳도 아닌 곳'
그래픽노블	**마크 스태포드** '깡깡이 블루스'

구헌주 | Imagine (출처: 깡깡이예술마을 사업단)

폴 모리슨 | 쇠뜨기 (출처: 깡깡이예술마을 사업단)

허수빈 | 벽속의 집 (출처: 깡깡이예술마을 사업단)

벤 튜 | 가닥들 (출처: 깡깡이예술마을 사업단)

조형섭 | 모든 곳이나 아무 곳도 아닌 곳 (출처: 깡깡이예술마을 사업단)

마크 스태포드 | 깡깡이 블루스 (출처: 깡깡이예술마을 사업단)

3 절영마 행진

연계사업 문화적 도시재생사업

<문화체육관광부>에서 지원하는 '문화적 도시재생사업'의 일환으로 2018년과 2019년에 걸쳐 '예술과 도시의 섬, 영도'라는 프로젝트 명칭 아래 다양한 사업을 진행했다. 그 중 '절영마 행진'은 그림자가 보이지 않을 정도로 빨리 달리는 영도의 말에서 비롯된 영도의 옛 지명 <절영도>에서 착안하여 영도의 말, '절영마'를 현대적으로 재해석한 다양한 작품을 설치하여 영도의 이미지를 재구축하려는 시도로 추진됐다. 2019년 영도 출신의 작가 전준호의 작업으로 부산대교를 건너 봉래동 물양장 쉼터에 '회전목마'라는 조형물을 설치하고 쌈지공원을 조성했다.

설치작품 **전준호** '회전목마'

전준호 | 회전목마 (출처: 깡깡이예술마을 사업단)

4 마을박물관 프로젝트

마을박물관 프로젝트는 물리적 공간으로서 박물관과 필드뮤지엄을 조성하는 것뿐만 아니라 그 자체로 살아있는 박물관이라 할 수 있는 깡깡이마을의 오래된 역사와 전통, 주민들의 삶을 기록하고 재현하는 다양한 아카이빙 및 콘텐츠 제작을 병행하는 사업이다. 깡깡이마을의 역사, 지리, 사회, 생활문화를 조사한 자료를 바탕으로 일련의 책자를 발간하고, 예술가들과 함께 깡깡이마을을 재해석한 음악, 만화, 영상 등 대중적인 콘텐츠를 제작하여 온라인, 오프라인에 공개했다. 또한 방문객들이 상시로 체험할 수 있도록 '마을박물관'과 '마을다방', '깡깡이 안내센터', '깡깡이 유람선' 등에 전시했다.

단행본 발간	**깡깡이예술마을 사업단, 호밀밭출판사** 『깡깡이마을 100년의 울림 – 역사, 산업, 생활』 시리즈 발간
깡깡이 오버씨 프로젝트	**최백호** '1950 대평동'
	스카웨이커스 '깡깡 30세'
	마크 스태포드(영국) '깡깡이블루스'
마을박물관	**공간힘, 정만영 공동 기획 및 연출** 깡깡이마을박물관 전시 **평상필름** 대평동 조선소 수리작업 영상아카이브
필드뮤지엄	**심점환, 우징, 부산대학교 산업디자인과 김성계교수팀 협력작업** 거리형 마을박물관 근대수리조선 발상지 전시 제작 및 설치

추진과정

『깡깡이마을 100년의 울림–역사, 산업, 생활』(출처: 깡깡이예술마을 사업단)

최백호 | '1950 대평동' 음원 (출처: 깡깡이예술마을 사업단)

스카웨이커스 | '깡깡30세/Skanking On My Way' 음원 (출처: 깡깡이예술마을 사업단)

심점환, 우징, 부산대학교 산업디자인과 김성계교수팀 협력 | 필드뮤지엄 (출처: 깡깡이예술마을 사업단)

5 깡깡이투어

연계사업 산업관광 활성화 사업

<문화체육관광부> 후원 '산업관광 활성화 사업'을 통해 '깡깡이 유람선'과 '신기한 선박체험관'을 활용한 해상 투어와 마을해설사들이나 관련 전문가들이 안내하여 방문객들과 마을 곳곳을 탐방하는 다양한 투어 프로그램을 진행했다. 특히 '깡깡이 마을공작소'를 활용하여 다양한 키트를 조립, 제작하는 체험 프로그램을 개발했고 방문객들과 마을 공업사를 탐방하는 오픈팩토리 프로그램을 진행했다. 가이드북, 지도, 기념품을 제작하고 투어 코스 지도 및 이정표 등을 거리에 설치했다.

바다버스 투어	**㈔대평동 마을회** '깡깡이 유람선' 운영
깡깡이길 투어	**핑크로더, ㈔대평동마을회** 마을해설사 양성 및 거리투어 운영
	그린그림, 도모 가이드북 및 지도, 기념품, 이정표 제작
	진홍스튜디오 영상 제작
체험 및 탐방	**김선화, 박인진, 박주현, 송기철, ㈔대평동 마을회** 공작소 체험, 오픈팩토리 공업사투어

'마을해설사 동아리'가 진행하는 깡깡이마을 투어 프로그램 진행 모습 (출처: 깡깡이예술마을 사업단)

오픈 팩토리 공업사 투어 모습 (출처: 깡깡이예술마을 사업단)

6 메이커스 프로젝트 · 깡깡이아카이브

연계사업 문화적 도시재생사업

<문화체육관광부>의 '문화적 도시재생사업'을 통해 깡깡이예술마을로 조성된 거점 공간들이 문화공간으로 활성화될 수 있도록 지역 커뮤니티와 예술가들이 참여하는 프로그램을 진행했다. 기술자와 예술가가 만나 새로운 콘텐츠를 만드는 메이커스 프로젝트를 진행하고, 주민 자서전과 공업사의 장인 인터뷰와 사진을 기록한 단행본을 발간하기도 했다.

메이커스 프로젝트	**정찬호×동해아연금속** 바닥 표지판 및 거리 이정표 제작
	은여우×하나정밀 '깡깡이 오르골' 제작
깡깡이 아카이브	**이민아, 정우련, 김길자, 김부연, 김순연, 박송엽, 서만선, 조창래** 시화 및 자서전 『부끄러버서 할 말도 없는데』 발간
	스튜디오 이인 공업사 아카이브 『대평동 공업사를 만나다』 발간

『부끄러버서 할 말도 없는데』, 『대평동 공업사를 만나다』 (출처: 깡깡이예술마을 사업단)

『부끄러버서 힐 말도 없는데』 북 콘서트 (출처: 깡깡이예술마을 사업단)

7 가고 싶은 섬, 머물고 싶은 섬 · 영도 이야기

연계사업 문화적 도시재생사업

<깡깡이예술마을> 조성사업의 성과를 확장하여 2019년 <문화체육관광부>가 후원하는 '문화적 도시재생사업'으로 '예술과 도시의 섬, 영도'를 진행했다. 이 사업의 일환으로 영도 내 다양한 문화자산과 공간을 활용하여 테마형 체험 프로그램 '가고 싶은 섬, 머물고 싶은 섬'을 진행했고 영도 이주민의 삶을 기록한 단행본 『영도 타향에서 고향으로』를 발간했다. 이와 더불어 영도의 해양과 자연생태를 예술가의 시선에서 기록한 보고서 '절영도 식물오감'을 발간했다.

체험 프로그램	**김수민, 손문상, 이동주, 정만영, 조성미, 핑크로더** '가고 싶은 섬, 머물고 싶은 섬' 프로그램 기획 및 진행
영도 이야기	**비로컬** 『영도 타향에서 고향으로』 단행본 발간
	실험실 씨 『절영로 식물오감』 생태탐방 프로그램 운영 및 보고서 발간

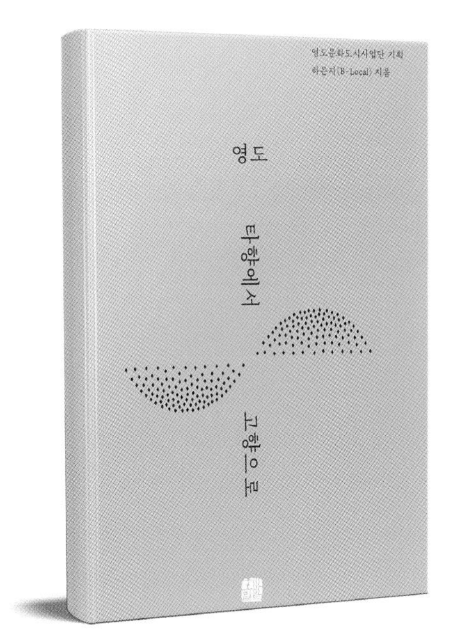

『영도 타향에서 고향으로』(출처: 깡깡이예술마을 사업단)

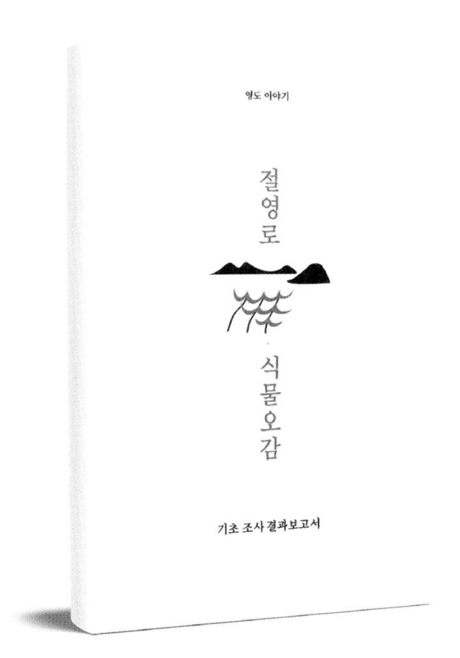

『절영로 식물오감』(출처: 깡깡이예술마을 사업단)

П1386

커뮤

니티

"깡깡이예술마을엔 사람의 힘, 예술의 힘, 관계의 힘, 그리고 마을의 힘이 유기적으로 끈끈하게 연결되어 있다."

"깡깡이예술마을은 서로를 향한 신뢰와 연대, 끊임없는 교류와 소통 속에서 가능했던 일이었고, 물론 그 관계는 지금도 유효하다."

“마을의 역사와 쉽게 잊히지 않을 사람
그리고 그들의 마음이 깡깡이마을
곳곳에 배어있었다.”

일상에서 시작되는 문화재생
깡깡이예술마을

송교성

사회학을 전공했으며, 현재 <문화예술 플랜비>에서
주로 문화예술정책 연구, 지역문화 기획을 맡고
있다. 깡깡이예술마을 사업단에서 사무국장을
역임했다.

사람과 사람을 잇는 소통과 협력의 거버넌스

깡깡이예술마을은 주민, 예술가, 기획자 그리고 행정 등 여러 주체가 협력하여 추진한 사업이다. 서로 다른 주체의 이해관계가 교차하는 도시재생이나 커뮤니티사업에서 '협력'은 단순히 구호가 아니라, 사업의 필수조건이다. 건물의 조성에서부터 공공예술 프로젝트, 주민 대상 문화 프로그램 등 다양한 방식의 사업들이 진행됐고 특히 마을의 일은 아무리 작은 일이라도 여러 주체가 관여되기 때문이다. 예를 들어 건물에 벽화를 그린다면, 우선 지역이나 건물을 조사하고 예술가와 함께 작품을 구상한다. 그리고 마을 주민들의 동의와 건물 주인의 허가를 받아야 한다. 그림을 그리기 시작하면 페인트 구매나 보험 가입 등 예산 사용을 위한 행정처리를 거쳐야 하며, 때에 따라서는 작업을 위해 도로를 통제하거나, 관련 인·허가를 거쳐야 한다. 깡깡이예술마을은 이러한 프로젝트들이 동시다발적으로 진행되어야 했기 때문에 효율적인 업무조정과 통합적인 운영을 위하여 민관의 협력이 매우 중요했다.

이러한 이유로 대다수의 유사한 지역, 마을 대상의 공공사업에서는 관과 민간을 아울러 여러 주체들이 소통하고 협력하는 체계, 이른바 거버넌스의 구성이 필수적으로 추진된다. 그러나 여러 행위자가 상호 신뢰하고 파트너쉽을 형성하여 공동으로 의사결정을 하는, 거버넌스의 본래 목표를 제대로 실현하기란 쉽지 않다. 모여서 회의를 하지만 주민은 의견 정도만 낼 뿐 사업에는 참여하지 않거나, 행정은 상급기관으로 허가업무나 관리 감독만 할 때가 많다. 예술가나 기획자들도 정해 둔 계획에 따라 움직일 뿐, 폭넓게 주민들과 소통하거나 계획을 조정하는 과정을 놓치기도 한다. 그 틈새에 이견이나 갈등이 생기고 협력 구조가 무너지기도 한다.

이미 알려진 바와 같이 깡깡이예술마을 사업은 민선6기 서병수 부산시장의 공약사업으로 2015년 부산지역 내 기초지자체를 대상으로 진행됐던 '예술상상마을' 공모사업에 참여하면서 시작됐다. 이때까지 도시재생사업은 대부분 건축이나 도시계획 분야 전문가들이 하드웨어와 거점공간을 중심으로 물리적 재생에 초점을 맞춰 전체 계획을 입안하고 사업을 추진하는 경우가 많았다. 이에 비해 '예술상상마을' 공모사업은 문화예술 활동을 통해 낙후된 지역의 활성화를 추진하는 만큼 문화예술단체의 전문성을 잘 살릴 수 있는 사업이라 판단하여 <문화예술 플랜비>가 먼저 <영도구>에 사업을 제안했다. 당시 '예술상상마을'

공모사업에는 '제2의 감천문화마을 만들기'라는 부제가 붙었는데 다른 기초지자체에서는 산복도로 지역이나 도심을 대상으로 하는 사업계획을 제출했다. <문화예술 플랜비>는 근대 조선 산업의 발상지였던 영도 대평동 지역이 항구도시 부산의 태동과 발전의 역사적 발자취를 담고 있는 장소라는 점에 주목하여 영도도선의 복원, 커뮤니티센터와 마을공작소 건립 등 거점공간 조성뿐만 아니라 지역 고유의 역사문화자원을 발굴하고 활용하는 다양한 콘텐츠 프로그램 및 커뮤니티 사업을 제안했다. 이러한 차별성과 특성이 부각되어 <문화예술 플랜비>와 <영도구>, <대평동마을회>에서 제안한 깡깡이예술마을 사업계획이 2015년 하반기 '예술상상마을' 지원사업에 선정됐다.

깡깡이예술마을이 선정되고 실제 사업단을 발족하기까지 <영도구>, <문화예술 플랜비>, <영도문화원> 사이에 10개월 동안 20여 차례의 회의를 거쳤다. 도시재생사업이 전국적으로 시행된 지 얼마 되지 않아 민간전문가가 참여하는 현장지원센터를 설립, 운영하는 사례도 많지 않았다. <영도구>의 경우 도시재생을 전담하는 독립 부서가 만들어지지 않아서 건축과에서 업무를 담당하고 있었다. 민간단체에 직접 전체 사업을 위탁한 사례가 없어서 <영도문화원>을 통해 보조금을 교부하고 사업을 추진하기로 결정했다. 당시 영도문화원은 2명의 상근인력으로 운영되고 있어서 <문화예술 플랜비>에서 주요 스탭을 파견하는 형식으로 인력을 충원하여 깡깡이예술마을 사업단을 발족했다. 이렇게 <영도구>, <대평동마을회>, <문화예술 플랜비>, <영도문화원> 4개 기관 및 단체가 공동으로 사업을 추진하는 체계가 구성됐는데 전체 실행체계는 다음과 같다.

먼저 전체 사업을 총괄하는 상설협의기구로 사업추진협의회를 운영했는데 매월 1회 정례적인 회의뿐만 아니라 필요할 때마다 수시로 회의를 개최했다. <영도문화원> 사무국장이 사업단장을 맡아 회의를 주관했고, <영도구>에서는 초기에는 건축과에서, 이후 조직 재편이 이뤄지고 '산업관광', '문화적 도시재생' 등 사업이 확장되면서 도시재생추진단과 문화관광과에서 참여했다. 주민들을 대표해서 <대평동마을회> 회장 및 총무 등 주요 임원들이 <문화예술 플랜비>에서는 사업단의 총감독 및 사무국장, 예술국장 등 사업단에서 주요 실행 책임을 맡은 인원들이 사업추진협의회에 참여했다. 이와 별도로 라운드테이블 형식의 확장된 자문 및 협의기구를 운영했는데, <영도구>의 부구청장 및 유관 부서장, 시의원과 구의원, 사업 관련 민간전문가까지 총 10명의 전문위원을 위촉했다. 분기마다 개최하는 라운드테이블 회의를 통해 사업 전반의 목표와 현황을 점검하고 장기적인 발전방향에 대해 폭넓은 협의를 진행했다. 사업실행을 담당한 사업단은 <문화예술 플랜비>에서 파견한 인원을 중심으로 6-7명의 상근인력으로 구성했는데 홍보 및 회계를 포함해서 커뮤니티 사업을 맡은 사무국, 예술가들과의 협력을 중심으로 콘텐츠 및 프로그램 사업을 맡은 예술국으로 나눠 업무를 분장했다. 상근 인력 이외에 시각예술과 설치, 공연과 학술 등 분야별 전문가를 비상임 감독으로 선임하여 사업의 전문성과 실행력을 높였다.

여러 주체들이 참여하는 소통과 협력의 거버넌스에서 성패의 관건은 주민의 참여이다. 특히 사업 종료 이후에도 주민들의 주도적인 역할을 이어가기 위해 깡깡이예술마을 사업단은 사업 초기 단계부터 주민들의 능동적이고 적극적인 참여를 이끌어내기 위해 각별한 노력을 기울였고 <대평동마을회>는 이 사업에서 매우 중요한 역할을 했다. 도시재생사업에 참여하는 주민조직은 유관단체 혹은 직능단체의 실무자나 행정기관에서 구성한 위원회의 대표자 등으로 구성되는 것이 일반적이라서 주민 참여의 폭이 좁고 형식적인 경우가 많다. 이에 반해 <대평동마을회>는 부산과 같이 급속도로 개발된 대도시에서 좀처럼 찾아보기 힘든, 오랜 세월을 끈끈하고 탄탄하게 이어져온 자생적인 마을공동체이다. 그 역사는 1950년대까지 거슬러 올라가는데, 당시 지역의 유지들을 중심으로 주민들이 돈을 모아 일제강점기 적산부지 약 300여 평을 불하받으면서 시작되었다고 한다. 그 땅이 현재의 '깡깡이 생활문화센터', 마을회관이 들어선 곳이다. 이후 <대평동마을회>는 공동체 명의로 자산을 지켜가면서, 주민복지와 대민봉사 활동을 활발하게 펼쳐 나갔다. 1980년대에는 점포가 20여 곳에 이르는 마을 시장을 운영했으며, 1990년대까지 1천 명이 넘는 주민들이 참여한 연례 동민체육대회나, 정월 대보름날 길놀이 등 세시풍습 행사를 개최하기도 했다. 이후 <대평동마을회>는 IMF를 겪고, 지역의 경제적 쇠퇴와 더불어 인구가 급격하게 감소하면서 그 힘이 약화됐다고 한다. 사실 대평동이라는 마을 명칭도 옛 행정명칭이고 1990년대 후반 행정구역 개편으로, 남항동으로 편입됐다.

지역 쇠퇴에도 불구하고 <대평동마을회>는 현재까지 꾸준히 활동을 이어가고 있다. 15명 내외의 운영위원과 60여 명의 대의원이 주민들의 의견을 모아 마을 발전에 힘을 쓰고 있고, 방역과 청소, 음식 나눔 등의 활동도 꾸준하게 진행하고 있다. <대평동마을회>는 도시재생이나 지역 활성화 관련 예산 지원을 받았던 다른 지역에 비해 특별한 관심과 지원을 받지 못해 계속 쇠퇴하는 마을의 현실을 안타까워하다가, 마침 깡깡이예술마을 조성사업이 제안되자 적극적으로 참여하게 됐다.

일상에 스며들기

2022년 9월 23일 저녁, '깡깡이 생활문화센터' 옥상에 대평동 마을 주민들과 <문화예술 플랜비> 직원들이 모여 각자 준비한 술과 음식을 나눴다. 사업을 통해 거점공간의 일환으로 이 공간을 개장했지만 옥상에서 모임을 가진 것은 처음이라 감흥이 남달랐고 수리조선소 너머 천마산을 배경으로 석양이 물들면서 모임의 분위기를 한층 돋운 날이었다. 특별한 계기는 없었지만 서로 못 본 지 꽤 되어 자연스럽게 만들어진 평범한 자리였다. 깡깡이예술마을 사업이 종료되고 공식적으로는 사업단이 해체된 지도 꽤 오랜 시간이 지났지만, 여전히 <대평동마을회>와 <문화예술 플랜비>는 종종 모임을 가진다. 신년회나 송년회, 각종 경조사는 물론이고, 마을 사업에 대해 상의를 하거나 혹은 깡깡이마을을 찾는 분들을 안내하면서 만나는 일들이 계속 이어지고 있다. 나고 자란 고향 사람들처럼 오랫동안 관계가 이어지고 있는 것은 단순히 함께 사업을 진행했기 때문만은 아니다. 인사를 나누고, 밥을 함께 먹고, 좋은 일이나 나쁜 일도 같이 겪으며, 때때로 갈등 속에서 여러 감정도 나누는 등 서로 일상에 스며들며 관계가 두터워졌기 때문이다.

<문화예술 플랜비>를 비롯하여 이 사업에 참여한 예술가들, 이른바 '전문가'들은 주민의 입장에서 보면 외지인에 불과하다. 추진협의회와 사업단과 같은 형식적인 거버넌스 체계가 있다고 해서 관계형성이 처음부터 잘 될 리가 만무하다. 협력의 밑바탕이 되는 신뢰와 유대감은 몇 번의 회의를 통해서 저절로 만들어지는 것은 아니다. 아마 그 출발은 일상을 오가며 부대끼는 사소한 만남과 관계일지도 모른다. 마을에 처음 사무실을 개소한 뒤로 출퇴근하며 인사를 드리거나 기회가 되면 마을 여기저기 찾아다니며 주민들의 이야기를 듣고 차 한 잔을 나눴다.

점심시간에는 마을에 있는 식당들을 다니며 서로 얼굴을 익혔고 마을의 대소사에 일손을 거들기도 했다. 자연스럽게 주민들의 일상적인 술자리에 끼어들기도 하고 경조사가 있다면 축하와 위로도 나눴다. 정례적인 회의나 프로그램이 없더라도 수시로 모임을 만들었고 명절에는 선물을 주고받았다. 그렇게 마을의 일상 속에 스며들며 관계를 차곡차곡 쌓아 올렸다. 김두진 깡깡이예술마을 사업단장은 '도시재생사업은 단순한 주거환경정비 같은 물리적 재생이 아니라, 주민의 일상을 구성하는 문화, 예술, 교육, 복지, 환경 등 인간 보편적 삶의 총체적 관점에서 진행할 필요가 있다. (…) 마을은 사업 단위가 아니라 사람과 사람들의 관계들이 실타래처럼 얽혀있는 곳으로 관계를 회복하는 장소'[1]라고 설명하고 있다.

사업의 여러 주체들이 참여하는 공식적인 회의와 운영체계가 다수의 합의를 이끌어내고 사업을 효율적으로 추진하기 위해 반드시 필요한 요소이긴 하지만 다양한 목소리를 담아내는 데 분명히 한계도 존재한다. 회의에 참여하는 대표자들과 주민들 사이에 이견이 존재하기도 하고 모임에 참가하여 자신의 생각을 밝히기를 어려워하거나 주저하는 경우도 있다. 그래서 조선소 노동자들이 잠시 쉬고 있는 골목에서, 마을 어르신들이 모여 있는 경로당에서, 혹은 동아리 활동이 끝나고 귀가하는 잠시 동안에 나눴던 담소들이 더 소중한 의미를 가지고 일상의 공간에서 서로 부대끼는 시간들이 정규적인 프로그램이나 활동 못지않게 더 많은 정성과 노력을 쏟아야 하는 '일'일지도 모른다. 커뮤니티 사업을 하면서 반드시 그 마을에 살아야 한다거나, 주민이 되어서 삶과 일을 일치시키는 것만이 제일 나은 방법이라고 단언할 수는 없다. 친밀한 관계를 형성하는 것도 좋지만 때로는 외부인의 낯선 시각이 던져주는 긴장이 사업의 새로운 활력이 되기도 한다. 그러나 사람이 살아가고 있는 마을에서의 일은 단순히 공식적인 업무로만 이루어지지 않는다는 것은 확실하다. 서로의 신뢰와 연대는 끊임없는 교류와 소통 속에서 가능하기 때문이다.

갈등에 익숙해지기

서로 다른 이해관계를 가진 주체들이 협력하는 도시재생 사업은 종종 갈등이 뒤따르기 마련이다. 사업을 통해 얻고자 하는 것, 도달하고자 하는 목표가 조금씩 차이가 있기 때문이다. 행정 입장에서는 더 나은 가치를 위한 새로운 시도보다는, 계획에 따라 잡음 없이 깔끔하게 사업을 완수하는 것에만 목표를 둘 수 있고, 주민들은 사업의 가치보다는 경제적인 이득이나 평소 지역에 필요한 것의 해결에만 몰두할 수 있다. 기획자나 예술인들은 자기 전문성에 갇혀 행정이나 주민들과의 협업보다는 결과물이나 성과에만 관심을 가질 수 있다. 주체마다 서로 다른 입장의 차이는 갈등을 유발할 수밖에 없다.

깡깡이예술마을도 첫 시작부터 갈등이었다. 전에 없던 사업 방식임에도, 그에 맞지 않는 제도와 행정의 문제가 있었고, 35억의 적지 않은 예산에 대한 서로 다른 생각, 무엇보다 각 주체 사이의 신뢰가 부족했기 때문이다. 우선 공모 선정 당시 주관부서였던 영도구 건축과의 경우 문화예술을 바탕으로 하는 도시재생 경험이 없었다. 민간단체인 <문화예술 플랜비>에 직접 '보조금'을 지급하고 용역이나 위탁 형식으로 사업을 맡길 수 없다는 영도구의 입장이었다. 선정 이후에 주민들 사이에서는 <문화예술 플랜비>가 5억 원을 요구했다는 이상한 소문도 돌기도 했는데 그 금액은 3년 동안 사업단의 인건비와 운영비에 해당하는 비용이었다. 공사 용역으로 건물 하나 지으면 끝날 만한 예산을 가지고, 수십 개의 자잘한 프로그램을 운영하고, 사업비의 20% 가까이 사용하여 7-8명의 전문인력을 고용하는 사업계획에 대해 당시 행정을 담당했던 <영도구> 건축과에서 충분히 공감하지 못하면서 빚어졌던 일종의 해프닝이었다. 공간 조성이나 하드웨어 중심으로 추진되는 기존 도시재생사업의 관점을 가졌던 <영도구>와 다양한 예술 콘텐츠와 커뮤니티 활동을 강조했던 <문화예술 플랜비>의 계획 사이에는 사업을 바라보는 관점과 추진방식에서 그만큼 큰 간극이 존재했다. 10개월 동안 20여 차례 지난한 협의과정을 거쳐 영도문화원을 사업담당기관으로 결정하고 <문화예술 플랜비>가 주요 스탭들을 파견하여 원래 계획에 맞춰 다양한 사업들을 실행하는 것으로 합의가 이뤄졌다. 2015년 8월 말에 사업이 선정됐지만 2016년 5월이 돼서야 비로소 6명의 상근인력으로 구성된 깡깡이예술마을 사업단이 발족됐다.

마을 주민들과의 갈등도 있었다. 주차장이나 번듯한 건물을 조성하는 가시적인 결과물이 있는 것이 아니라서 처음에는 생소할 수밖에 없는 문화예술 활동으로 마을을 제대로 활성화하겠냐는 우려였다. 가난하고 힘든 시절을 떠올리게 하는 '깡깡이'라는 단어를 쓰는 것도 꺼리는 주민들도 있었고 없어진 대평동이라는 행정명칭을 쓴다는 항의도 있었다. 사업이 본격화되고, <대평동마을회>에서 관리하는 주차장 공간의 석면을 철거하는 비용 문제, 오랫동안 불법 상태로 방치된 건축물이 많았던 마을회관 리모델링 과정에서 여러 가지 행정적인 난제들이 불거지면서 사업단과 주민들 사이에 이견과 갈등이 빚어지기도 했다. 예술 활동을 둘러싼 갈등도 있었는데 대표적으로 대동대교맨션에 그려진 헨드릭 바이키르히Hendrik Beikirch 작가의 '우리 모두의 어머니' 작품이 흑백이라 무섭고 보기 싫다는 주민들의 민원이 한동안 계속되면서 작품 철거까지 거론되기까지 했다. 깡깡이마을이 알려지고 점차 방문객이 늘어나면서 조선소 업무에 방해가 된다는 언론 보도가 나기도 하였다. 사업 후기에는 유람선과 마을해설투어, 카페 운영을 통해 마을회 수익금이 적립됐는데 처음에는 자원봉사로 참여했던 주민들에게 최소한의 사례비를 어떻게 책정할 것인가를 결정하는 과정에서도 갈등이 생겨나기도 했다.

돌이켜 보면 무수히 많은 일이 순탄치 않았고, 크고 작은 문제들이 발생했다. 그러면서 어느새 갈등에 익숙해졌는데, 결국 시간을 들여 부대끼고 논의하면서 서로 어려움을 토로하고 해결방법을 함께 찾아냈다. 영도구 담당자들은 사업단을 신뢰하며 성과를 재촉하지 않았고, <대평동마을회>가 앞장서서 행정과 사업단이 해결하기 어려운 관계들을 풀어주기도 했다. 예술가와 기획자들도 자신의 생각만을 고집하지 않고, 행정과 주민들과 폭넓게 소통했다. 갈등을 통해 합의의 과정을 경험할 수 있었고, 이는 주민들의 힘으로 깡깡이예술마을을 지속하는 중요한 밑거름이 됐다.

문화예술로 만드는 지속가능성

2019년 12월 말, 부산시 영도구가 '법정문화도시'로 선정됐다. 2017년부터 2년 동안 준비와 예비사업을 진행하는 과정에서 <문화예술 플랜비>는 <대평동마을회>뿐만 아니라 다양한 영도 주민, 문화단체, 행정기관들과 협력하여 '예술과 도시의 섬, 영도' 계획안을 완성했다. 이로써 향후 5년 동안 약 200억 원의 예산을 지원받아 다양한 문화사업을 추진할 수 있는 기반이 마련됐다. <대평동마을회>에서 누구보다 이 소식을 반겼는데 준비과정에서 대평동 주민들이 주도적으로 참여했고 주민 주도의 거버넌스 구축과 도시재생사업과의 연계를 강조하는 문화도시 평가 과정에서도 깡깡이예술마을의 성과들이 높게 평가됐기 때문이다. 뿐만 아니라 2018년 8월, 깡깡이예술마을이 공식적으로 종료되고 후속사업으로 추진했던 '문화적 도시재생', '산업관광 활성화 사업' 등도 곧 종료될 시점을 앞두고 있어서 깡깡이예술마을 사업을 지속할 수 있는 계기를 마련하는 것이 무엇보다 중요했다. 법정 문화도시 사업은 영도 전역을 대상으로 하지만, '영도문화도시' 사업계획에는 '깡깡이 유람선' 운영 확대 등 깡깡이예술마을이 지속적으로 성장하는데 도움이 되는 계획들이 포함되어 있다.

그러나 문화도시 선정 이후 깡깡이예술마을 사업은 새로운 난관에 부딪히게 됐다. <영도구>에서는 기존 깡깡이예술마을 사업과 달리 <문화도시센터>의 인력 구성에서부터 세세한 사업 절차와 방식까지 기초지자체장의 입장과 의견을 반영하기를 고집했다. 깡깡이예술마을 사업에서 '영도문화도시' 선정까지 5년여 사업에 대한 평가와 신뢰를 바탕으로 사업단에게 세부 사업 실행의 권한과 책임을 위임해주기를 바랬던 애초의 기대가 무너졌다. 문화도시 선정 이후 4개월이 지나도록 사업단 인력 구성부터 기본적인 준비절차마저 진행하지 못하고 <문화예술 플랜비>는 사업 참여를 포기했다. 행정의 태도 변화와 과도한 개입에서 비롯된 이러한 문제와 갈등은 비단 영도뿐만 아니라 문화도시에 선정된 다른 지자체에서도 발생했다. 깡깡이예술마을 사업을 통해 짧지 않은 시간 동안 관계를 잘 발전시켜 왔다고 평가하고 있었지만 공공재원이 투입되는 사업에서 민간과 행정 기관 사이의 대등한 협력 관계를 유지한다는 것이 얼마나 어려운지 다시 한 번 확인했던 사례였다. '영도문화도시' 사업은 이후 지정 취소까지 거론되는 우여곡절 끝에 2020년 10월이 돼서야 겨우 새로운 주체들이 참여하는 사업단을 발족하게 됐다.

깡깡이예술마을 사업이 종료되고 <문화예술 플랜비>가 현장을 떠난 지 2년 가까운 시간이 지났지만 현재까지 깡깡이예술마을은 주민들의 힘으로 활동을 이어가고 있다. 한동안 코로나 팬데믹으로 어려움을 겪었으나, 마을해설투어와 유람선도 서서히 활기를 되찾고 있고, 마을다방과 박물관을 찾는 방문객들도 다시 늘어나고 있다. 오늘도 이 마을에서 살아가는 사람들은 망치 하나로 거대한 배의 녹을 벗겨 냈던 그 강인함으로 변함없이 세월의 풍파에 맞서고 있다. 세월이 10년, 20년 지나면

수리조선소가 떠나고 재개발이 진행되어 지금의 마을 모습은 완전히 사라질지도 모른다. 하지만 매축으로 생긴 대평동의 역사가 100년이 지나 현재까지 이어졌듯이, 더 오랫동안 남을 오늘의 역사를 주민들 스스로 써가고 있다.

"깡깡이예술마을은 '오래된 것'을 기억하고 드러내는 시도이다. '오래된 것'은 단지 지나간 과거가 아니라 과거에서 현재까지 이어져오는 전통과 문화에 연관된 것이다. (…) 깡깡이예술마을은 문화예술을 통해 이 지역의 역사와 삶을 기록하고 소통하려는 노력의 결과물이다. 문화예술이 도시재생 프로젝트에 기여할 수 있는 바는 단순히 장식적인 볼거리를 제공하는 것이 아니라 성찰과 소통이라는 문화예술이 지닌 본원적 힘과 가치일 것이다. 깡깡이마을 입구 아파트 외벽에 '깡깡이 아지매'의 얼굴을 표상하는 대형 인물화를 그린 작가는 사람들의 관계를 단절하는 콘크리트 벽체가 자신의 작품을 통해 소통의 매개체가 될 수 있기를 희망했다. 마을 커뮤니티센터를 개축하기 위해 오래된 나무 두 그루를 베어내던 날 일흔 평생을 이 마을에서 살았던 할머니는 그 아쉬움을 시 한 편에 담았다. 주민들이 함께 고사를 지내고 베어낸 이 나무는 조각가의 손을 거쳐 나무벤치로 만들어져 다시 그 자리에서 주민들의 손길을 기다리고 있다. 깡깡이마을의 시간과 역사는 앞으로도 오래 동안 이렇게 이어질 것이다."[2]

1 깡깡이예술마을사업단, 『깡깡이마을, 100년의 울림-생활』, 부산광역시 영도구·영도문화원×호밀밭, 2017, p.16-17

2 같은 책, p.7-10

삶을 밝히는 'ㅇㅇ의 힘' : 깡깡이예술마을 사업 전후, 마을을 둘러싼 변화에 대한 소고小考

하은지

부산 영도에서 17년째 거주 중이다. 대학에서 지역학, 문학을 전공했으며 2016년부터 영도 깡깡이예술마을 조성사업에 참여했다. 현재 부산근현대역사관에 재직 중이다. 지나간 흔적을 기록하는 일에 관심이 많다.

신발장 속 깡깡 망치

평일 낮, 나는 사무실에서 일을 하다 종종 밖에 나가곤 했다. 그래봐야 마을을 어슬렁거리다가 돌아오는 것이 전부였다. 그것도 일의 한가지라고 생각했다. 동네 어르신들에게 눈도장을 찍고, 오래된 간판이 보이면 사진을 찍고, 모르는 부품이 보이면 기술자분에게 묻기도 하고… 마을을 알아간다는 생각으로, 뭔가 발견한다는 느낌으로. 그렇게 걷다가 문득 가보지 않은 좁은 골목이 나오면 호기심 반, 두려움 반으로 발을 내디뎌 보곤 했다. 2층이 낮은 적산가옥들을 보며 '여기도 꽤 오래된 골목이구나' 실감하며 그렇게 걷고 있을 때였다. 샛골목에서 할머니 한 분이 무언가를 품에 안고 허겁지겁 뛰어오고 있었다. 그리고 그 뒤를 한 여성이 다급하게 쫓고 있었다.

"엄마~! 엄마~~~!!"

할머니는 얼마 못 가 여성의 손에 잡혔다. 나는 '이게 무슨 일인가'하는 생각으로 서 있다가, 두 여인 곁으로 조금 다가갔다. 딸로 보이는 여인은, 내가 조금 놀랐을 거라 생각했던 것인지, 묻지 않았음에도 자초지종을 설명했다.

"저희 어머니가 치매이신데, 내가 잠깐 한눈을 팔면 자꾸 이렇게 밖으로 나가시네요. 나갈 때마다 이건 왜 자꾸 가져가는지."

여인이 할머니의 품에 안긴 보자기를 쓱 잡아당기자 틈새로 검은 망치 몇 자루가 보였다.

"저희 어머니가 깡깡이를 하셨거든요. 몸도 성하지 않으신 분이 이 무거운 걸 자꾸 가지고 가시는 거예요. 이 구닥다리 버리지도 못하게 하고."

나는 그때 '깡깡 망치'라는 걸 처음 봤다. 마을에 온 지 얼마 되지 않아, 논문이나 사진으로만 보았던 깡깡 망치. 두 사람의 내력을 조금 더 듣고 싶었지만, 자꾸 어디론가 가겠다는 할머니와 가까스로 붙잡고 있는 여성을 보니 그럴 수 있는 상황이 아니라는 생각이 들었다. 어머니가 깡깡이 할 때 쓰던 도구를 보자기에 곱게 싸서 신발장 안쪽에 넣어두고는, 절대 누구도 손을 대지 못하게 한다는 말만 들었을 뿐. 집으로 돌아가는 두 사람의 모습을 가만히 보다가, 나도 억지로 발걸음을 돌렸다.

미주알고주알 이야기하는 걸 좋아하는 나지만, 그날의 일만큼은 7년이 지난 지금까지 누구에게도 이야기하지 않았다. 내가 잠시 엿보아버린, 타인의 고단한 삶을 굳이 떠벌리고 싶지 않았다. 몇 달은 젊은 여성의 얼굴이 떠올랐다. 그러다 점점 할머니의 모습만 떠올랐다. 그녀는 왜 깡깡 망치를 보관하고 있는 걸까. 기억은 사라져 가는데, 왜 깡깡이에 대한 기억은 또렷할까. 그것이 무엇이기에 스러져가는 정신 속에서도 맹렬하게 살아남아 그녀를 밖으로, 밖으로 데려가는 걸까.

바다 속 깡깡 망치

<대평동마을회>의 박기영 마을회장님은 흔히 말하는 '츤데레'라는 표현이 적격인 분이다. 사람을 압도하는 눈빛과 특유의 '시크'한 말투 덕분에, 담이 작은 사람은 그분 앞에서 금세 쪼그라들고 만다. 하지만 겪어보면 그는 누구보다도 정이 많은 사람이다. 주변 사람을 살뜰히 챙기고, 한참 어린 사람에게도 '고맙다, 미안하다' 같은 마음 표현도 아끼지 않는다.

사람은 정말 겉만 봐서는 모른다고 했다. 그는 '눈물'이 많은 편인데, 그의 눈물 버튼은 언제나 '어머니'다. 그의 어머니는 1970년대에 깡깡이 일을 시작해 약 20년간 해오셨다고 한다. 목수였던 아버지의 외벌이로는 7남매를 건사하기가 어려워, 그의 어머니는 매일 아침 조선소 일터로 나갔다. 깡깡이 일을 한 어머님들의 자녀를 인터뷰한 적이 있는데, 대개 아드님들은 무덤덤한 어조로 어머니에 대한 이야기를 이어갈 때가 많았다. "어머니가 일하시는 걸 본적이 있나요?"라는 물음에 "어머니가 일하시는 곳에 가 본 적이 없다."고 답하는 걸 보고, "그럼 무덤덤할 수 있겠다."라며 상황을 이해하곤 했다. 하지만 박기영 회장님은 어머니 이야기가 나올 때마다 금세 눈이 붉어지고 목이 메어 쉽게 입을 떼지 못했다. 40년이 지난 지금까지도 어머니의 모습이 그의 눈앞에 선한 듯했다.

> **"예전 남성들은 권위의식이, 남성우월주의가 있어가지고 남자가 여자에게 일을 시키는 과정이 지금 와서 생각해 볼 때 노예처럼… 옆에서 볼 때 참 애처로워 보이고 애정이 가고 막 안쓰러울 때가 많았지. 그런 걸 우리는 어릴 때부터 본 거예요."**

작업반장이 집으로 찾아와 '내일 작업이 있다'고 전하면, 어머니는 작업 갈 채비를 했다고 한다. 우선 작업복(몸빼), 장갑, 수건을 챙겼는데, 특히 수건은 당시 깡깡이 아지매들에게 마스크이자 헬멧이었다. 깡깡이 망치와 시가래퍼는 '보자기에 책 보따리 싸듯 도로록 싸두었다'가 아침에 챙겨가곤 했다. 어려서는 어머니의 고생을 그저 바라볼 수밖에 없었지만, 그의 형이 돈을 벌러 중동에 가고, 자신도 20대 초반부터 사회생활을 시작하며 돈을 모으자 본격적으로 어머니가 일하는 것을 말리기 시작했다. 어머니는 일을 다녀오면 연장 보따리를 마루 밑에 넣어두셨는데, 그는 그걸 꺼내다가 대평동 앞바다에 던져버리기도 했다. 그럼에도 불구하고 어머니는 계속 깡깡이를 했다. 그는 "망치를 버리고 난 뒤에도 연장을 빌려주면서 일하러 가자고 하니까. 어머니가 계속 깡깡이를 갔지. 어머니가 아마 저 일을 잘하셨던 모양이에요."라고 회상한다. 책임감 강하고 성실하고 꼼꼼한 그의 성품만 보아도, 그의 어머니가 어떤 분이었을지 상상이 된다. 그런 어머니가 깡깡이 일에 종지부를 찍게 된 이유는 자식들의 반대도, 어머니의 선택 때문도 아니었다.

> **"아시바에서 떨어져가지고 결국은 그때 깡깡이를 손에서 놓았지. 손목하고 다리 골절당하고."**

박기영 회장님의 이야기를 들을 때마다 나는 떠올린다. 저 대평동 바다 어딘가에 잠겨있을 어머니의 손때가 묻은 깡깡 망치의 모습을.

깡깡 망치, 세상에 나오다

신발장 속에 감춰두었던 깡깡 망치는 할머니에게 무엇이었을까. 그것은 떳떳하게 드러내 보이지 못하지만 결코 부끄러운 일로 치부하고 싶지 않은 '인생, 자존심, 긍지' 그리고 바로 '나라는 존재 그 자체'였을 것이다. 누군가는 그것을 차가운 물속에 던져야 했고 구출해야 할, 벗어나야 할 상황이었지만, 깡깡이 아지매 그 자신에게는 양식과 바꿀 수 있는 '나의 일', 그리고 '삶의 보람'이었을 것이다. 세간의 평가와는 무관하게, 그녀들의 삶에서 큰 조각을 차지했던 그 일은, 어두운 곳에서 점점 세상으로 모습을 드러내게 되었다.

깡깡이라는 단어가 세상 밖으로 나올 수 있었던 건, 깡깡이예술마을 사업과 무관하지 않다. '깡깡이'라는 키워드로 검색을 했을 때 2016년을 기점으로 점차 증가하는 양상을 띤다. 당해는 부산시 민선6기 공약사업인 '예술상상마을'의 일환으로 깡깡이예술마을 조성사업이 시작된 시기이다. '예술상상마을' 조성사업에 참여한 깡깡이예술마을 사업단은 1998년 행정구역상 남항동으로 편입된 대평동(법정동)이라는 명칭 대신, 수리조선소 마을이라는 지역의 정체성을 드러내는 단어로 '깡깡이'를 전면에 부각시키게 된다.

2016년 이후 '깡깡이'라는 명칭이 발견되는 신문 및 잡지 기사, 라디오 및 TV 방송 건수는 약 300건에 달한다. 2015년 언론지상에 '깡깡이'라는 단어가 발견된 것이 단 1건인데 반해, 2016년 20건에 이어 2017년에는 86건으로 대폭 증가한다. 특히 2017년에는 수리조선소의 노동자인 '깡깡이 아지매'를 단독으로 다룬 기사[1]가 나타난다. 이후 2018년 36건, 2019년 53건, 2020년에는 88건까지 증가한다. 최근 2021년에는 18건, 그리고 2022년 1월부터 4월까지 집계된 건수는 12건 정도이다.[2]

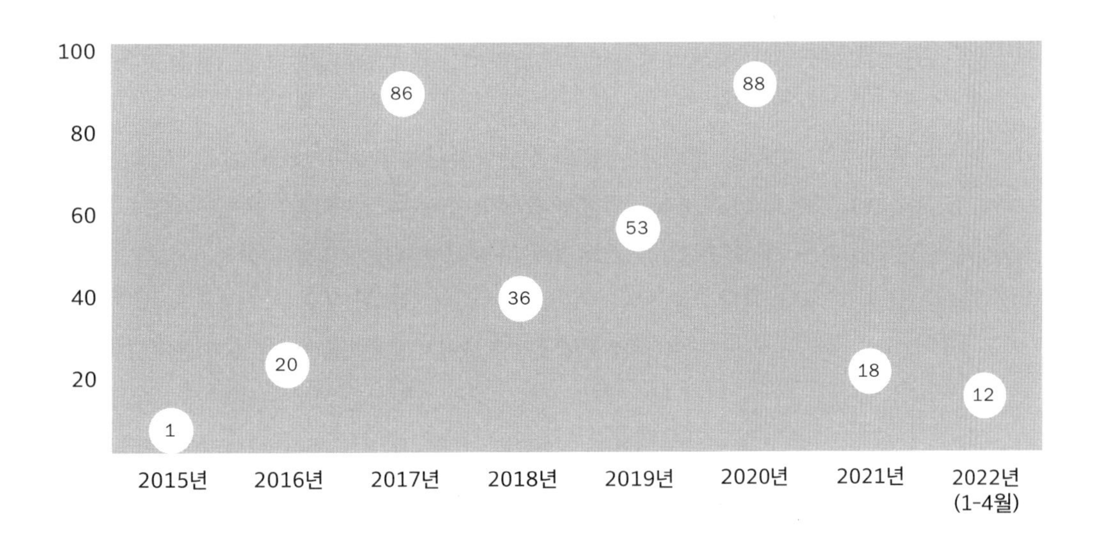

'깡깡이' 관련 보도 건수 추이

깡깡이예술마을 조성사업을 시작한 시기인 2016년부터 2020년까지, 해당 기간 동안의 특기할 만한 변화가 있다면, '깡깡이'에 대한 지역민의 인식이 점차 바뀌기 시작했다는 것이다. 이러한 변화는 주민의 말을 통해 확인할 수 있다.

> "(어머님! 깡깡이 일 하셨던 얘기 좀 들려주세요) 그거 뭐 좋은 일이라고. 들어서 뭐 하게. 고생하고 몸상하고, 그것밖에 더 있나."
>
> 깡깡이아지매 이○화 씨 2016년 인터뷰 중(대평동2가 거리에서)

> "70년대, 80년대가 대단했고 90년대까지도 그랬지. 사람도 바글바글, 돈도 바글바글. 마을이 잘 나갔는데, 그냥 밖에서는 시끄러운 마을이라는 거야. 여기 더러 깽깽이라고. 거지 깽깽이도 아니고. 그런 얘길 들으면 정말 기분이 나빴어. 뭣 하러 멀쩡한 마을 이름[대평동]을 놔두고 깡깡이라고 하느냐고."
>
> 김성호 씨 2016년 인터뷰 중(대평동경로당에서)

> "처음에는 "왜 해필 깡깡이고~ 속된 말로 쪽팔리고로." 그런 이야기가 나왔어. 그런데 사업단하고 구청에서 이렇게 설득을 해가지고 결국은 이제 깡깡이예술마을로 선정이 됐는데. 지금 와서 생각해보니까 우리 깡깡이예술마을이 선정되면서 대내외적으로 전국적으로 이 동네를 알렸고. (중략)"
>
> 박기영 씨 2022년 인터뷰 중(대평마을다방에서)

그리고 깡깡이는 일을 감당해온 여성 노동자의 모습이 대형 예술 벽화 속 이미지로 담기며 더욱 널리 알려진다. 그렇게 깡깡이 아지매는 '영도의 어머니', '부산의 얼굴'로 불리며 마을의 표상이 된다.[3]

> "곱사등이에게서 혹을 떼어내면 그에겐 남는 것이 없다"고 니체가 갈파했듯 고생을 자산資産으로 삼는 '깡깡이아지매'의 삶에서 '실존적 운명애'를 읽어냈다. 이어 2015년부터 5년여 '깡깡이예술마을 조성사업' 등에서는 예술·문화가 '깡깡이 아지매'의 기존 통념을 뒤엎었다. 대동대교맨션 벽면에 그려진 핸드릭 바이키르히의 '우리 모두의 어머니'를 비롯한 80여 점 공공미술작품이 '깡깡이마을'

이미지를 새롭게 재해석해냈다.[4]

김정하 교수(한국해양대 글로벌해양인문학부) 2022년 기사 중

예술, 사람, 관계, 그리고 마을

사업 기간 동안 심혈을 기울인 일 중 하나는 마을 주민 스스로 문화를 생산하고 활동할 수 있는 공간을 만드는 것이었다. 주민들의 애정 어린 관심과 활동에 힘입어 사업이 종료된 이후에도 이러한 공간들, '깡깡이 생활문화센터', '깡깡이 안내센터', '깡깡이 마을공작소'는 계속 운영되었고, 마을에 대한 외부의 관심도 끊이지 않았다. 단적으로 생활문화센터 내부 벽면에는 예술가분들이 기증한 작품이 하나둘 더해지기 시작했다. 시화부터 유화 작품까지, 그 종류도 다양하다. 깡깡이마을은 세상에 알려지고, 예술가는 이 마을에서 영감을 얻었고, 그 영감으로 탄생한 작품은 다시 깡깡이마을로 돌아오고 있는 것이다.

깡깡이예술마을 조성사업에서 주목한 일 중 다른 하나는 '일상과 예술의 접목'이다. 이전까지 예술에 조예가 없었던 필자에게는 예술이 일상의 영역에 들어오는 것이나, 예술이 마을을 변화시킨다는 것이 다소 낯설었지만, 과정을 통해 점차 그 역할과 의미를 알 수 있었다. 마을 주민인 서만선, 탁애자, 하청자, 한미순 할머니는 깡깡이예술마을 사업을 통해 발굴된 아티스트이자 자타공인 '마을 스타'다. 여든이 다 되어 자신이 미술에 소질이 있다는 사실을 알게 된 서만선 할머니는 밤낮을 가리지 않고 창작열을 불태워 벌써 두 번의 그림전시회를 가졌다. 두려움 없이 자신의 재능을 발산하는 탁애자, 하청자, 한미순 할머니는 예술이 일부 사람의 전유물이 아니라는 것을 잘 알고 있다. 또한 그것이 노년에 활력을 가져다준다는 것까지. 예술이 밥이 되지는 않지만, 누군가에게는 '든든한 마음 한 끼'가 된다는 것을 실감하게 해준 분들이다. 마을 주민들은 사업 이후에도 계속 예술적인 활동을 할 수 있기를 갈망하고 있다.

> "깡깡이 사업으로 재미를 알아가지고. 댄스 동아리 할 때가 정말 재밌었지. 앞으로도 이런 게 계속 있으면 좋겠어. 또 같이 재밌게 놀아보게."

탁애자 씨 인터뷰(2020년) 중

사업은 끝났지만 깡깡이마을은 여전히 예술가들에게 매력적인 창작 공간이 되어 주고 있다. 깡깡이예술마을 조성사업 중 공공예술 프로젝트에 참여한 정만영 작가는 마을에 공간을 마련해 6년째 이곳에서 작업을 해오고 있다. 그는 해당 프로젝트에서 소리Sound와 설치작업Installation Artwork을 접목한 작품 '사운드 브리어 메우치Sound Brear Meucci'를 만들었고, 동시에 다른 설치작가의 작업을 돕는 역할을 했다. 대학에서 조각을 전공한 그는 예전부터 마을에 대해 알고 있었다. 그는 "조각학과 사람 중에 깡깡이마을에 안 와본 사람은 없을 걸요?"라고 말하며, 창작욕을 불러일으키는 스케일, 양감을 구경하고자, 또 희한한 부품을 구하고자 마을을 찾았다고 덧붙였다. 그리고 그는 20여 년이 지나, 다시 '소리'를 따라 마을에 자리 잡게 된다.

> "여기 온 이유도 '깡깡이'가 '소리'이기 때문입니다. 이 마을은 소리 문화가 있는 곳이고, 소리를 생각하는 주민들의 인식도 다릅니다. 내가 오기 딱 좋았던 공간입니다."
>
> 정만영 작가 인터뷰 중

그의 작업 공간이 있는 곳은 선박 수리 공업사가 밀집해있는, 대평동1가에 위치한 3층 건물이다. 그는 이 건물의 2층과 3층, 그리고 옥상을 사용하고 있다. 본래 잠수기기를 만들던 공장이었다는 이 공간은, 대형 설치작품을 만들기에 그리 넓지 않은 데다, 층으로 분리되어 있어 작업하는 데 어려움이 많은 편이라고 한다. 그럼에도 불구하고 그가 이 마을에 남아있는 이유는 셀 수 없이 많다.

> "특히 옥상이 쓸만합니다. 옥상에서 작업해서 크레인으로 떠서 내리면 되겠다고 생각했어요. 작품이 완성되면 영도크레인(작업실에서 100m 거리)에 연락해 작품을 내립니다. 전화를 하면 '어! 또 거깁니까?'하고 와주시는데, 크레인집이 가깝다 보니 많이 깎아주십니다. 밑에는 하나정밀 사장님이 계시는데, 깎고 용접하고 웬만한 것은 다 할 줄 아시니까 작업을 도와주시거나 부품을 주문해주기도 합니다. 저기 아파트 쪽(큰길가)에 있던 볼트 집이 최근에 이쪽으로 이사 왔는데, 온갖 볼트가 있습니다. 거기 가서 볼트도 조금씩 사오고요. 웬만한 건 마을 안에 다 있어서 작품 제작이 편합니다."
>
> 정만영 작가 인터뷰 중

개인 작품 활동 외에도 정만영 작가는 마을에서 중요한 역할을 하고 있는데, 공공예술 프로젝트의 유지 보수에 관한 일이다. 공식적으로 주어진 역할이 아닌데도 불구하고 해당 프로젝트 전반에 대해 잘 알고 있는 터라, 작품 유지·보수에 대한 문의가 그에게 향한다. 사실은 그저 문의에서 그치지 않는다. <대평동마을회> 분들의 말을 빌리자면, '간단한 수리는 정만영 작가가 직접하고, 기술상 자체 해결되지 않는 것은 해당 작품을 만든 예술가와 소통해 해결하고 있다'는 이야기를 자주 들었다. 정만영 작가 또한 '작품이 어떤 컨디션이고 설치할 때 어떤 어려움이 있는지 잘 알기 때문에' 마을 주민분들이 작품에 이상이 있을 때 자신을 찾는다고 말한다.

> **"마을회장님, 부회장님이 계속 작품의 컨디션을 체크하시니까. 부회장님은 직접 칠도 하고 잘 챙기십니다. 마을분들이 나서서 챙기는 것이 감사합니다. 마을부회장님과 많이 소통하면서 필요한 부분을 만들어 드리기도 하고, 그런 부분도 좋습니다."**
>
> 정만영 작가 인터뷰 중

2022년 중순경 '신기한 선박체험관' 내에 설치된 키네틱 작품에 이상이 생겼다. 하지만 정만영 작가 자신도 잘 모르는 부분이기에 해당 작품의 작가에게 연락을 했고, 작가가 직접 작품을 가져가 수리해 다시 설치해두었다고 한다. 이렇게라도 예술 작품이 유지되고 있는 것은 참 다행스럽지만, 한편으로는 작품 보수와 수리에 필요한 과정이나 비용 문제 등이 정리되지 않은 채, 작품을 더 아끼는 사람들의 희생과 노고로 관리되고 있다는 사실이 안타까웠다. 이러한 부분은 꼭 개선이 되었으면 하는 바람이다.

> **"밤늦게까지 불 켜진 곳이 많은 마을입니다. 마을 자체가 제작 공장입니다. 여기서만 할 수 있는 작업이 있습니다. 이 공간을 버릴 수 없는 이유입니다."**
>
> 정만영 작가 인터뷰 중

예술가의 고독한 밤마저 밝혀주는 마을의 불빛은 깡깡이마을이 지속될 수 있는 힘이다. 정만영 작가뿐만 아니라 강정훈 작가 또한 올해 초부터 마을 내에 공간을 얻어 작업하고 있다. 정만영 작가는 "강정훈 작가가 마을에 와서 든든합니다. 서로 도움을 주고받으며 지내고 있습니다."고 말한다. 함께 전시를 할 정도로 돈독한 두 사람이 앞으로 깡깡이마을에서 어떤 작업을 해나갈지 기대가 된다. 올해 3월, 한 공식 자리에서 정만영 작가를 통해 소개받은 적이 있는 김도희 작가를 2022년 부산비엔날레에서 '작품을 통해' 다시 만나기도 했다. 그녀는 깡깡이마을 출신으로, 이번 비엔날레에 깡깡이 작업을 예술적으로 형상화한 작품을 출품했다. 깡깡이 작업에 대한 다양한 생각을 불러일으키는 이 작품은, '깡깡이'가 많은 이의 가슴 속에 생동감을 주는 중요한 무엇임을 깨닫게 해준다.

깡깡이예술마을 사업 후, 내게 남은 것이 있다면 '삶을 밝히는 ○○의 힘'의 빈칸에 채워져야할 말이 무엇인지 어렴풋하게나마 알게 되었다는 것이다. 정답은 하나가 아니다. 그 자리에는 '예술'도, '사람'도, '관계'도, '마을'도 모두 가능하다. 서로의 마음을 여는 예술이, 마을을 지키는 사람이, 상호보완이 되어 주는 관계가, 마을의 미래를 다시 쓰게 해준 역사와 콘텐츠까지. 깡깡이예술마을은 이러한 힘들이 유기적으로, 끈끈하게 연결되어 있다. 단 하나의 요소, 단 한 명의 힘만으로는 효과를 발휘하지 못한다. 지금껏 그래왔던 것처럼 앞으로도 함께 머리를 맞대고 마음을 보태야 한다. 깡깡이예술마을 사업에 참여한 이들은 이러한 힘이 누군가의 여생을, 나아가 마을의 미래를 바꿀 수 있는 어떤 실마리가 될 수 있다는 걸 알고 있다.

사업 종료 후에도 여전히 '깡깡이'라는 세 글자도, 깡깡이의 주체인 '여성 노동자'와 수리조선 산업 관계자도, 마을의 지속과 변화를 위해 애쓴 공동체와 주민들도, 마을을 밝히기 위해 새로운 방향의 빛을 제공한 예술가와 기획자도, 끊임없이 변화하고 있다는 걸 느낀다. 깡깡이예술마을 조성사업이 그 변화에 있어서 작은 불씨가 되었으리라 믿으며, 다만 그 불이 오래도록 꺼지지 않기를 바랄 뿐이다. 신발장 속, 바다 속 깡깡 망치는 여전히 어두운 한 구석에 있을지 모르나, 이제는 '무형의 가치'로 탈바꿈한 깡깡 망치는 앞으로도 많은 이의 관심과 노력 하에 그 생명력을 간직할 것이다.

1 정유미, "부산 깡깡이마을 '조선소 동네 아지매들이 왜 깡이 센지 아능교?", 경향신문, 2017년 5월 4일
한겨레신문, "그 여자들의 무기 '깡깡이망치'", 한겨레신문, 2017년 5월 18일

2 2016년에는 주로 '예술상상마을, 도시재생'에 보도 내용이 국한되어 있었으나, 보도 수가 대폭 증가한 2017년에는 기사 내용도 다양한 양상을 띤다. 상반기에는 주로 수리조선소 마을인 깡깡이마을의 역사를 다루는 보도나 여행지(관광지)로 변모한 마을을 소개하는 보도가 주를 이루었다면, 7월부터는 공공예술프로젝트 및 축제 등 예술적 시도를 지역 재생에 접목한 사업의 성과를 소개(공공예술 작품, 초대형 벽화, 사운드 아카이브, 사진전 및 시화전 개최, 깡깡이마을 역사책 발간, 바다택시 운행, 예술공작소 조성, 깡깡이예술마을축제 등)하는 보도가 주를 이루는데, 이러한 내용의 보도는 2017년에 보도된 총 86건의 기사 중 68건으로 약 80%에 달한다. 갑자기 관광지로 급부상하면서 마을에 생긴 부작용을 다룬 기사도 살펴볼 수 있다.

3 티브로드, "티브로드 : 마을을 되살리는 '부산의 얼굴'", 티브로드, 2017년 8월 8일
이승훈 "망치질 해대던 '영도의 어머니' 예술 작품으로", 부산일보, 2017년 8월 9일
pitbull "영도를 바라보는 '우리 모두의 어머니'", 연합뉴스, 2017년 8월 9일
송성준, "벽화로 태어난 모두의 어머니 '깡깡이 아지매'", SBS 8시 뉴스 2017년 8월 20일
이대진, "부산 아지매들의 생명력, 거리예술로 꽃핀다", 부산일보, 2017년 10월 25일
KBS, "깡깡이마을 어머니의 얼굴, 독일작가 헨드릭", 네티워크기획 문화산책, 2017년 11월 13일

4 김정하, "깡깡이 아지매' 강애순 씨-깡깡이질 40년 어머니의 삶이자 조선강국 태동의 역사>", 국제신문, 2022년 2월 28일

깡깡이예술마을과 나의 하루

도티 밍응웻

베트남에서 왔다. 2015년에 한국으로 처음 왔었고, 부산외국어대학교에서 학사 졸업 후, 경북대학교 일반대학원에서 현대문학 소설을 전공했다. 번역가라는 꿈을 꾸며, 석사과정을 수료한 후, 현재 부산 소재 IT회사에 다니며 코퍼스 번역 업무를 담당하고 있다.

나는 깡깡이마을을 이렇게 만나게 되었다

나는 한국이 아닌 다른 나라에서 왔다. 7년이라는 시간은 짧지도 길지도 않지만, 세월의 흐름에 따라 처음에는 외국인 유학생으로 왔고, 졸업하고 나선 어쩌다가 인연이 돼 '결혼이주민'이 되어, 지금까지 한국에서 안정적으로 생활하고 있다. 특히 나에게 부산이라는 곳은 제2의 고향이라고 해도 과언이 아닌 것 같다. 유학 생활을 시작하면서 부산을 제일 먼저 선택했으니까. 그리고 지난 7년 동안 부산에서 쭉 살아왔고, 앞으로도 부산에서 계속 살 테니까.

그렇게 이 세월 동안 부산에 살았으니 부산을 다 구경했다 말할 수 있겠다. 화려한 광안리 해수욕장이나, 아늑한 다대포 해수욕장과 같은 부산의 바다. 멋진 광경을 내려다볼 수 있는 황령산과 같은 부산의 산. 조용하고 편안한 범어사나, 해동용궁사와 같은 부산의 절. 맛집이나 예쁜 카페를 가득 채운 서면이나 남포동과 같은 부산의 놀거리. 부산의 유명한 곳은 너무 익숙해져버릴 정도로 수십 번 다녀왔다. 그래서 앞으로 여행사나 인터넷에서 잘 알려진 장소 말고, 부산 사람만 아는 현지다운 곳을 계속 열심히 찾아보려고 한다. 내게 부산은 이방인들의 방문 목적지가 아니라 앞으로 인생을 계속 살아갈 친근한 거주지니까.

인스타그램이나 페이스북을 좋아했던 나는 한국에 왔을 때부터 블로그에 관심을 가졌다. 블로그를 통해서 부산 현지인만 아는 부산 맛집, 부산 여행에 관련된 정보를 자주 접할 수 있기 때문이다. 어느 날 블로그를 통해 깡깡이마을에 대한 글을 우연히 읽게 되었다. 마을 이름이 너무 독특해서 그냥 지나칠 수 없었다. 깡깡이가 뭐지? 들어 본 적도 없어서 사전이나 유튜브에서 검색했는데도 정확히 실감하기 어려웠다. 그렇게 자주 갔던 남포동 옆에 있다는데 왜 몰랐고 가 보지도 못했을까? 블로그에 올라온 핑크색 벽화와 커다란 배 사진, 좁은 골목와 오래된 낡은 자전거 사진에 눈길을 뗄 수 없었다. 내가 알고 있는 화려한 부산과는 완전히 다른 풍경이었다. 사진 속에 딴 세상이 등장한 것 같았다고 할까? 그렇게 깡깡이 마을에 대해 관심과 호기심이 커졌고, 나중에 깡깡이마을을 보러 꼭 한번 가야겠다고 결심했다.

몇 달이나 지났을까? 바쁜 공부와 직장생활을 하면서 깡깡이마을에 대한 기억을 잊고 살았던 같다. 최근 도시재생에 관심을 많이 가지게 된 소울메이트와 이야기하면서 예전에 상상만 했던 깡깡이마을을 다시 떠올렸고 소울메이트에게 이번 기회에 깡깡이마을을 같이 보러 가면 어떠냐고 물어봤다. 부산에서 20년 넘게 살아왔는데 깡깡이마을을 한 번도 가보지 못했던 내 소울메이트도 깡깡이마을이 어떤 곳인지 알아볼 겸, 내 '제안'을 선선히 받아들였다. 그렇게 우리는 주말 하루의 시간을 내서 아직 알려지지 않은 비밀을 찾으러 가는 것처럼 깡깡이마을로 향했다.

깡깡이마을의 낮

2022년 여름 어느 날이었다. 2022이라는 숫자를 이렇게 적은 이유는 누구나 중요한 순간을 간직하고 싶기 때문이기도 하고 나중에 깡깡이마을이 개발되더라도 2022년의 모습은 이랬다고 말하고 싶기 때문이다. 처음에는 깡깡이마을에 차로 가려 했다. 하지만 주차장을 찾기 어려워서 남포동까지 지하철을 탔고, 남포동 정거장에서 마을까지 버스를 갈아탔다. 남포동에서 깡깡이마을까지는 정거장이 몇 개밖에 없는데도 분위기는 매우 달랐다. 사람들이 붐비고 시끄러운 남포동과 달리 조용하고 잔잔한 깡깡이마을이었다.

깡깡이마을에는 어느 동네에나 있는 부동산, 약국, 빵집 등의 간판은 오히려 드물었고, 조선업체들의 간판들이 먼저 눈에 띄었다. '동안엔지니어링', '신연디젤', '제일마린', '아주라바테크', '대일볼트', '덕진상사' 등 깡깡이마을의 간판들은 역사의 흔적을 담고 있는 오래된 것이었고, 도심 속에 이런 업체가 한 장소에 모여 있는 곳은 깡깡이마을이 유일할 것 같았다. 차차 개발될 마을 상황을 보며 궁금한 것이 하나 생겼다. 이 업체와 간판은 앞으로 어떻게 변할까? 지금 우리가 과거의 깡깡이마을을 상상해보는 것처럼 먼 훗날 미래 사람들은 현재 깡깡이마을의 모습을 기억할까?

마을 입구, 길가를 지나가면서 열심히 용접하는 아저씨들도 봤다. 무더운 여름에 부지런히 도는 선풍기 앞에서 부지런하게 일하는 아저씨들을 보며 옛날 기억을 하나 떠올렸다. 고향 집 근처에 살았던 아저씨 한 분에 관한 것이다. 그 아저씨는 아들을 대학으로 보내려고 혼자 작업하며 돈을 벌고 있었다. 일이 힘들어도 얼굴엔 항상 웃음을 간직하고 있었고, 가족의 행복을 위해 무조건 자신을 희생하는 아저씨였다. 혹시 이 아저씨들도 이런 마음으로 일하고 있는 걸까? 이 '위대한' 작업자들을 보면서 우리 인생의 소중함을 새삼 깨닫게 되고 이들의 가족들도 항상 행복하길 기원했다.

마을 안을 걸어 다니면 이 동네 특유의 강렬한 냄새를 맡을 수 있었다. 강철을 깎고 태우는 냄새에 더해 일하는 사람의 땀 냄새가 뒤섞여 있었는데 다른 동네에서는 쉽게 경험할 수 없는 독특한 냄새였다. 이 냄새는 이 곳이 일반적인 관광지나 주거지역이 아니라 일하는 사람들의 장소라는 걸 깨닫게 해주었다. 골목에서 소일하는 할머니와 할아버지들도 보이지만 분주한 노동자들의 모습이 더 많았다. 좁은 길에도 트럭들이 바쁘게 움직이는 모습을 쉽게 발견할 수 있었다. 같은 공업단지라도 큰 공장이 많은 보통의 공업단지와는 다른 모습이었다. 다들 바쁘게 일하는 곳을 이렇게 둘러보는 것이 조금 이상하다는 생각도 들었고 혹시 노동자들의 작업에 방해가 되지 않을까 염려가 되기도 했다.

깡깡이마을을 한 바퀴 돌아보다 블로그에서 봤던 유람선 타는 장소에 도착했다. 유람선은 생각보다 크지 않았다. 예전에 몇 번 타봤던 태종대 유람선과 어떻게 다를지 궁금해서 표를 구입해서 유람선에 올랐다. 같은 영도인데, 태종대와 깡깡이마을 유람선은 서로 달랐다. 태종대 유람선을 타면 바다와 산, 갈매기와 하늘을 보게 되는데 깡깡이마을 유람선에서는 작업공장, 아파트단지, 자갈치시장이 먼저 눈에 띄었다. 새 소리 대신 쇠와 쇠가 부딪히는 소리가 들렸고 한가로운 낚시꾼 대신 분주하게 일하는 노동자들이 보였다. 태종대 유람선은 일상에서 벗어나는 느낌을 준다면 깡깡이마을 유람선은 분주한 우리의 삶을 되돌아보게 한 것 같았다. 태종대 유람선을 탔을 땐 먼 미래를 신나게 상상할 수 있다면 깡깡이마을 유람선을 타면 지나간 과거를 묵묵히 떠올리게 되었다. '그때 왜 그랬어요', 깡깡이마을에 서 있는 조형물에 새겨진 이 문구가 아직도 머릿속에 생생하게 남아 있다. 깡깡이마을 유람선에서는 일상의 허무함을 생각하는 대신, 소중한 지난 추억들을 상기하게 되었다. 태종대의 풍경은 사람의 마음을 치유해주는 것이라면 깡깡이마을은 사람의 정신을 성장시켜준다고 할 수도 있지 않을까. 우리의 마음을 달래주는 자연은 없지만 일상과 인생에 대해 다시 생각하게 했다. 깡깡이마을은 사람들이 기쁨으로 일하는 곳이고 이 분들의 땀은 부산 발전의 소중한 밑거름이 될 것이다. 저 멀리 일하고 있는 노동자들을 보며 우리 일상의 소중함에 더 감사함을 느끼고 높은 아파트 건물들을 보며 앞으로 더 풍요로워질 깡깡이마을의 미래를 상상해 봤다.

깡깡이마을의 밤

유람선을 한 바퀴 타자 마침 저녁 시간이 됐다. 깡깡이마을을 보러 온 것은 처음이라서 아직 낯설고, 주변의 맛집을 몰라서 남포동으로 갔다. 저녁을 먹고 오랜만에 남포동을 구경하다가 8시쯤 깡깡이마을을 다시 찾았다. 마을의 또 다른 모습을 발견했다. 저녁 8시밖에 안 됐는데 마을 입구에 있는 커피숍은 벌써 문을 닫았다. 원래 일찍 문을 닫는다고 했다. 손님이 많지 않아서 그런가? 마을 안에 커피숍 몇 군데가 더 있긴 했지만 역시 어두웠다. 바다의 잔잔한 파도 소리가 들릴 정도로 무척 조용한 분위기였다. 낮에 트럭의 소리나 쇠와 쇠가 부딪히는 소리는 들렸는데 밤에는 아무 소리가 없었다. 으슥하고 험했다. 낮에 분주히 움직이던 트럭들도 이제 거리 구석구석에 정차되어 있었다. 마치 피곤한 하루 일에서 벗어나 쉬고 있는 듯한 모습이었다. 아파트 창가에 비친 밝은 불빛을 보니 일하던 아저씨들도 이제 집에 가서 가족과 시간을 보내고 있는 것 같다. 아파트 안에서 사람들이 무엇을 하고 있는지 알 수 없지만, 왠지 따뜻한 가족의 온기가 잘 느껴졌다.

깡깡이마을의 밤은 험한데도 신기하게 편안한 공간이었다. 낮에는 마을이 분주한 일터이지만 으슥한 밤에도 생각보다 사람들의 온기가 느껴졌다. 같은 깡깡이마을이지만 낮과 밤, 서로 다른 두 모습을 볼 수 있어서 매우 독특하고 특별했다. 특히 여기서 잊어버릴 수 없을 것은 바로 마을의 야경이었다. 각양각색의 불빛을 밝히는 '근대수리조선 1번지, 영도깡깡이예술마을' 간판을 빼면 깡깡이 마을은 단색으로 보였다. 단색이지만 보기 지겹지 않았다. 이 단색이 다른 곳에서 볼 수 없는 깡깡이마을의 특색이고 어쩌면 장점일지도 모른다고 생각했다. 희미한 가로등 불빛, 멀리 서 있는 건물들과 부산타워의 불빛 속에서 낡고 험한 깡깡이마을은 독특한 분위기를 만들어낸 것 같다. 어둡고 험한 거리를 걸으면서 불안하거나 무섭지 않고 오히려 편안함을 느꼈다.

낮에는 잘 느끼지 못했던 바닷물의 냄새가 전해졌다. 내가 서 있는 곳의 어두움과 멀리 있는 건물들의 빛을 보며 이것저것 생각하게 되었다.

사람들은 보통 어두움을 부정적으로 보고 빛을 희망이라고 생각해서, 대부분 어두움을 거부하고 빛을 향한 마음을 가지고 있지 않는가? 그러나 실제로 어두움이 없으면 빛도 예쁘게 나오지 않는다. 지금 내가 보고 있는 반짝반짝한 부산타워나 높은 건물들은 험한 깡깡이마을 때문에 더 아름다워지는 것은 아닐까. 어둠 속에 희망의 빛을 볼 수 있는 것처럼 깡깡이마을은 앞으로 개발된다 하더라도 결코 지울 수 없는 부산의 기억과 흔적이 될 거라고 믿는다. 깡깡이마을로 인해 주변의 아름다움이 잘 드러나는 것처럼 이 마을에서 일하는 사람들의 땀으로 부산은 더 풍요로워지고 지금처럼 화려한 부산이 될 수 있었을 것이다. 깡깡이마을이 지금 다른 곳보다 발전하지 못했지만, 역사의 기억과 미래의 희망이라는 관점에서 보면 이 마을은 부산의 심장과 같은 곳일지 모른다. 미래에 이 마을이 어떻게 달라질지 알 수 없지만 오늘 봤던 깡깡이마을의 밤, 그 편안한 풍경은 오랫동안 기억될 것이다.

나에게 깡깡이마을이란

이렇게 나는 하루 종일 깡깡이마을을 다녔다. 하루라는 시간은 길지 않고, 깡깡이마을을 잘 이해하려면 시간이 더 필요하겠지만 깡깡이마을과 더 가까워진 기회가 됐고 보람을 느꼈다. 마을주민이 아니라 외부인이지만 나에게 깡깡이마을은 이제 낯선 곳이 아니라 사람들과 삶의 발자취와 마음을 담은 곳으로 기억될 것이다.

어릴 때부터 도시에서 살아온 내게 공장의 망치 소리는 아직 낯선 것이지만 깡깡이마을은 이제 더 이상 낯선 장소가 아니다. 여기에서 마을의 역사, 마을 사람의 생활, 그리고 사람의 마음을 느낄 수 있었기 때문이다. 앞으로 깡깡이 소리는 영영 과거의 소리가 될 수도 있고, 지금 존재하고 있는 배와 조선업체 건물도 사라지고 아파트 단지나 관광지로 바뀔 수도 있겠지만, 이 마을에 있었던 것들은 쉽게 잊히지 않을 것 같다. 단순히 볼거리를 찾아오는 외지인들에게 깡깡이마을은 재미없는 곳으로 비쳐질 수도 있지만 이 마을에 새겨진 역사의 흔적과 사람들의 마음을 느껴본다면 깡깡이마을은 전혀 다른 의미로 다가올 것이다. 누군가 깡깡이마을에 대해 이야기해달라고 한다면 나는 '보석', '아름다움', '희망'이라는 세 단어를 선택할 것이다. 역사의 보석, 현재의 아름다움, 그리고 미래의 희망을 담는 깡깡이마을이라고.

깡깡이예술마을 사업 소개 3
– 커뮤니티 프로그램

1 문화사랑방·주민동아리

'문화사랑방'은 지역 주민과 기획자, 예술가, 행정 등 다양한 주체들이 소통하고 교류함으로써 깡깡이예술마을 조성사업의 공감대를 형성하고, 주체적인 참여를 이끌어내는 커뮤니티 프로그램이다. '문화사랑방'은 초기에는 다과 모임으로 자유로운 의견 교환과 마을의 이야기를 들어보는 시간을 가졌다. 이후 주민들의 관심사와 맞는 강좌, 문화예술 동아리를 만들어 주체성과 자기 표현력을 이끌어내는 계기를 마련했다. '깡깡이 생활문화센터', '깡깡이 안내센터' 등 거점 공간들을 조성해 나가면서 주민들이 공간을 직접 운영하고, 제작된 콘텐츠를 활용할 수 있는 역량 강화형 동아리를 통해 지속가능한 로컬 비지니스의 기반을 마련했다.

토론&강의형

마을 커뮤니티의 이해와 마을에 대한 새로운 상상을 함께 이야기하는 자리

- 3개월간 매주 진행

- 마을분들(이집윤, 김대율)
- 커뮤니티 활동 사례(김혜정, 박진명)
- 건축, 문화, 예술 사례(박성옥, 권상구, 김두진, 김정주)

문화예술 동아리형

주민들의 문화예술 창작 경험을 통해 문화적 감수성을 높이는 주민 활동

- 시화, 댄스, 마을신문 동아리
- 각 20회씩 진행

이민아, 무브먼트 당당, 허경미, 김지곤, 스토리머지

역량강화 동아리형

마을투어 및 거점공간 운영 등 실무적인 역량 강화를 위한 주민 활동

- 마을해설사, 마을정원사
- 각 10-20회 진행

핑크로더, 가치예술협동조합

추진과정

문화사랑방토론&강의형
2016.8-10

마을신문동아리 창간호 발간 이후 격월로 발간
2016.9

마을동아리 기초과정 마을해설사, 마을정원사, 시화동아리, 댄스동아리
2017.3-6

마을동아리 심화과정 마을해설사, 마을정원사, 시화동아리, 댄스동아리 마을다방동아리
2017.7-9

마을다방 동아리 창업 준비 역량강화
2017.12-2018.2

마을투어 및 거점공간 마을 운영
2018.9-

문화적 도시재생 <Art & Community project> 주민동아리, 예술가의 밥상 완료
2019.1

문화적 도시재생 <예술과 도시의 섬, 영도> 영도 도시문화기획자 아카데미, 영도 문화사랑방 완료
2019.12

마을해설사 동아리 (출처: 깡깡이예술마을 사업단)

시화 동아리 (출처: 깡깡이예술마을 사업단)

마을정원사 동아리 (출처: 깡깡이예술마을 사업단)

댄스 동아리 (출처: 깡깡이예술마을 사업단)

2 주민동아리·예술가의 밥상

연계사업 문화적 도시재생사업

<문화체육관광부>의 '문화적 도시재생'을 통해 깡깡이예술마을 사업으로 조성된 거점 공간들이 문화공간으로 활성화될 수 있도록 지역 커뮤니티와 예술가들이 참여하는 다양한 프로그램을 진행했다. 깡깡이예술마을 사업을 통해 진행한 주민 동아리 활동의 연장선으로 '민요 동아리', '자서전 동아리', '마을목수 동아리', '마을다방 동아리'를 추가로 진행했으며, 음식을 매개로 예술가와 주민들이 함께 교류하고, 소통하는 '예술가의 밥상' 프로그램을 정기적으로 진행했다.

문화예술 동아리형

민요, 자서전 동아리

- 각 11-12회 진행

서영화, 정우련

역량강화 동아리형

마을다방, 마을목수 동아리

- 각 8-9회 진행

조세빈, 정시원

예술가의 밥상

예술가, 주민, 방문객들이 음식과 이야기를 매개로 소통하는 프로그램

- 5회 진행

김태희, 신무경, 해피피플, 오카리나 앙상블

마을다방 동아리 (출처: 깡깡이예술마을 사업단)

민요 동아리 (출처: 깡깡이예술마을 사업단)

마을목수 동아리 (출처: 깡깡이예술마을 사업단)

3 영도 도시문화기획자 아카데미·영도 문화사랑방

연계사업 문화적 도시재생사업

깡깡이예술마을에서 확장하여 영도 내 다양한 도시재생사업의 결과로 만들어진 공간과 문화콘텐츠를 연계하여 장소를 활성화하는 프로그램으로 진행했다. 영도의 예비기획자들의 역량 및 네트워크를 강화하고 자기주도적인 콘텐츠를 발굴하는 강의, 워크숍 프로그램 '영도 도시문화기획자 아카데미'를 진행했다. 또한 영도 도시재생 사업지 주민들의 지역 문화 활동과 참여의 계기를 만들어가는 시민참여형 프로그램인 '영도 문화사랑방'을 정기적으로 진행했다.

영도 도시문화기획자 아카데미

예비기획자 역량강화 프로그램

- 22회 진행

홍순연, 황순우, 공부성, 류성효, 최정한, 이채관

영도 문화사랑방

지역문화 공감대 확산을 위해 영도 주민들을 대상으로 강좌, 워크숍 등 시민참여형 프로그램

- 18회 진행

김한근, 최원준, 핑크로더, 황경숙, 손목서가, 김형찬, 김경화, 김정하, 고행섭, 김영조, 정면, 구헌주, 박형준

영도 도시문화기획자 아카데미 (출처: 깡깡이예술마을 사업단)

영도 문화사랑방 (출처: 깡깡이예술마을 사업단)

4 깡깡이 크리에이티브 : 마을 브랜드·마을신문

깡깡이 크리에이티브는 근대 수리조선 1번지 대평동 깡깡이마을의 정체성과 이미지를 재창조하는 마을 브랜드를 개발하는 프로젝트이다. 지역의 정체성을 담은 통합적인 BI 개발과 홍보영상, 홈페이지, 기념품 등을 제작하여 지역 문화를 대중적으로 알리고자 했다. 또한 숙련된 장인이자 주민들의 삶의 이야기들을 발굴하고, 깡깡이예술마을의 과정과 성과를 공유하는 마을신문을 발행하여 지역 주민들과 시민들이 지역에 대한 자긍심을 높이고, 지역문화의 가치를 재조명하는 계기를 마련하고자 했다.

BI(Brand Identity) 개발

깡깡이예술마을 심볼마크, 로고타입, 캐릭터 디자인

그린그림

홈페이지 제작

kangkangee.com

사업공유와 결과물 아카이빙을 위한 홈페이지 제작과 방문객을 위한 기념품 제작

그린그림

홍보영상 제작

깡깡이마을의 정취와 매력적인 풍광을 담은 영상제작으로 장소 인지도 확산

진홍스튜디오

마을신문 정기발행

지역 문화를 발굴하고, 새로운 문화 콘텐츠를 주민들, 시민들과 공유하는 매체로 활용
2016.9-2019.3월까지 매월 정기발행으로 총 19호까지 제작

스토리머지, 마을신문 주민 동아리

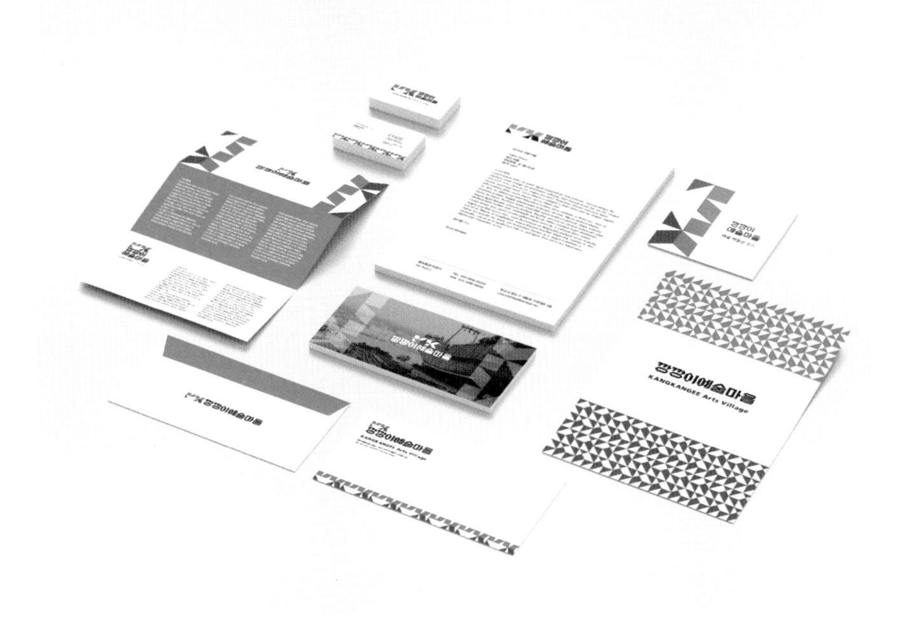

깡깡이 크리에이티브: 마을 브랜드 (출처: 깡깡이예술마을 사업단)

만사대평

2016년 9월호
창간준비호

대평동 주민이라면 깡깡이를 모르는 사람이 없을 겁니다. 두드리는 모습으로 기억되고, '깡깡'하는 소리로 기억되고, 사정없이 튀어대는 파편과 뿌연 먼지로 기억되는 바로 그 깡깡이 말입니다.

깡깡이를 아시나요?

마을의 역사를 상징하고, 주민들의 삶과 애환을 품고 있는 단어, 깡깡이. 대평동에서 시작되는 도시재생사업을 '깡깡이예술마을'이라 부르는 것은 깡깡이로 대표되는 대평동의 고유한 역사와 문화를 되새기고 지켜내기 위함입니다. 깡깡이예술마을을 조성함에 있어 근대 산업유산의 보존과 해양 문화의 원형에 주목하는 것도 그런 이유에서 입니다. 마을 주민과 예술가들의 교감을 통해 이루어지는 깡깡이예술마을 조성 사업이 주민들에겐 더욱 마을을 사랑하고, 마을에는 새로운 활력을 제공하는 계기가 되길 기대해봅니다.

기획 | '수리조선 이야기'

제 1부. 선박, 새 옷을 입다

대평동 깡깡이 소리가 시작되는 곳, 바로 수리조선소입니다. 대평동 마을신문 「만사대평」에서는 창간을 준비하며 대평동 사람들의 삶의 터전인 수리조선소 이야기를 3부작으로 준비했습니다.

(4면에 계속)

마을신문 '만사대평' (출처: 깡깡이예술마을 사업단)

5 물양장살롱

물양장은 소형선박들이 접안하는 작은 부두 시설을 말하는데, 대평동에는 2곳의 물양장이 있어 항구마을의 정취를 느낄 수 있는 곳이다. 물양장살롱은 이런 지역의 특성과 공동체의 문화를 바탕으로 주민들과 함께 준비하고, 즐기는 마을 축제로 계획됐다. 축제는 사업의 시작을 알리거나 개관식, 콘텐츠 쇼케이스 등 중요한 성과들이 있을 때마다 주민들과 자연스럽게 공유하는 자리로 진행했다.

2016.9 깡깡이 길놀이

깡깡이예술마을 사업의 시작을 알리고 대평동의 안녕을 기원하는 新지신밟기

대평동 지신밟기팀, 벽사유희팀

2017.4 마을사진전 <깡깡이 숨결을 따라 걷다>

깡깡이마을 옛모습과 주민 생활사를 담은 100여 점의 사진 전시

주민사진 제공, 쁘리야 김

2017.5 깡깡이 골목정원 가꾸기

쌈지공원과 대평동의 골목에 꽃을 심는 골목녹화 프로젝트

가치예술협동조합, 말란드로

2018.3 깡깡이생활문화센터 개관행사

마을 커뮤니티센터 개관을 축하하고, 제작한 다양한 콘텐츠를 선보이는 쇼케이스 자리로 개관식, 공연 등 진행

최백호, 스카웨이커스, 김경화, 정우련, 김필남, 방호정

2018.10 영도다리 축제 연계 행사

방문객들에게 거점공간들과 마을투어, 해상투어 등을 진행하여 성과를 공유하는 행사

마을해설사, 마을목수 등 주민 운영자

물양장살롱 | 공연 중인 가수 최백호 (출처: 깡깡이예술마을 사업단)

물양장살롱 | 깡깡이 생활문화센터 개관행사 (출처: 깡깡이예술마을 사업단)

깡깡이 길놀이 | 깡깡이예술마을 사업 안녕 기원 지신밟기 행사
(출처: 깡깡이예술마을 사업단)

6 공공예술 페스티벌

사업기간 동안 추진한 공공예술 프로젝트의 성과를 기반으로 진행한 커뮤니티 축제이다. 마을의 독특한 매력을 살린 장소들과 새롭게 조성된 '깡깡이 생활문화센터'를 중심으로 다양한 공연과 투어, 네트워크 프로그램을 통해 주민, 예술가, 방문객들이 함께 지역을 체험할 수 있는 3일간의 축제로 진행했다.

개막행사

사업성과 보고회 및 현장답사

깡깡이예술마을 사업단

네트워크 파티

국내, 해외 참여 작가와의 대화 및 작업실 옥상 네트워크 파티

참여작가 및 영국문화원 관계자 등, 공간연출 정만영, 김경화

북콘서트

『깡깡이마을 100년의 울림-산업편』 발간 기념

깡깡이예술마을 사업단 주민, 말란도르

아트마켓

예술체험형 프로그램

도모

깡깡이 댄스 프로젝트 : 춤추는 아지매

댄스 동아리의 결과물로 춤과 음악이 어우러진 커뮤니티 댄스 공연

주민 공연자, 무브먼트 당당

양다방프로젝트

40년 동안 선원들의 휴식처인 양다방에서 진행하는 작가와의 대화, 영화상영 프로그램

구헌주, 배민기, 박진명, 폴 모리슨, 벤 튜, 김영조

깡깡이투어

마을해설사와 함께하는 거리투어, 해상투어 프로그램

마을해설사

폐막행사

행사를 마무리하는 대평동마을회 주도의 마을 잔치

대평동마을회

공공예술페스티벌 | 양다방프로젝트 (출처: 깡깡이예술마을 사업단)

공공예술페스티벌 | 『깡깡이마을 100년의 울림- 산업편』 발간 기념 북 콘서트
(출처: 깡깡이예술마을 사업단)

공공예술페스티벌 | 깡깡이투어 (출처: 깡깡이예술마을 사업단)

7 부산 남항 바닷길 축제

연계사업 신나는 예술여행 사업

<문화예술 플랜비>에서 <한국문화예술위원회>의 '신나는 예술여행' 공모사업에 지원하여 선정된 프로젝트이다. '부산 남항 바닷길 축제'는 영도 관문지구의 독특한 풍광과 산업 유산을 활용하여 주민들과 방문객과 함께 즐기는 커뮤니티 축제로 물양장에서 진행하는 공연, 영화프로그램과 공공예술 전시, 창고 군에서 펼쳐지는 플리마켓, 아트북페어 등 다양한 체험프로그램으로 영도의 매력을 색다른 방법으로 즐기는 축제를 진행했다.

플로팅 스테이지

물양장 바지선무대에서 펼쳐지는 특별 공연 '섬 섬', 음악공연 '물양장살롱' 영화상영과 토크프로그램 '오픈시네마 영도극장'

재미난 복수, 모퉁이 극장, 진홍스튜디오, 허경미무용단 무무

도시와 예술

영도 관문의 해안가를 따라 설치한 공공예술 '깃발프로젝트' 영도창고에서 진행한 '부산아트북페어'

㈔삼진이음, 일상적인연구소협동조합, 프롬샵, 샵메이커즈

바다와 사람들

예술가와 함께 영도의 다양한 풍경을 촬영하는 '나만의 카메라, 나만의 영도', 영도여행&토크프로그램 '영도예술산책' '영도브런치살롱'

원도심예술가협동조합 창, 생각하는 바다, 스토리머지

부산 남항 바닷길 축제 | 섬 섬 (출처: 문화예술 플랜비)

부산 남항 바닷길 축제 | 물양장살롱 (출처: 문화예술 플랜비)

부산 남항 바닷길 축제 | 부산아트북페어 (출처: 문화예술 플랜비)

깡깡이예술마을 사업단 및 관계자

깡깡이예술마을과 함께 한 사람들

사업추진 및 실행

주최·주관
부산광역시, 영도구, 영도문화원,
㈔대평동마을회, 문화예술 플랜비

깡깡이예술마을 사업단
사업단장 김두진
예술감독 이승욱
전시감독 김성연
설치감독 정만영
예술국장 이여주
사무국장 송교성
재정지원 이혜미
홍보지원 하은지
운영지원 김선영 이대한
프로그램 매니저 김설 김슬기

생활문화조사보고서 및 마스터플랜 수립
깡깡이예술마을 사업단 및 류성효, 박성욱, 배미래, 장현정,
정재훈, 최민혜, 최예송

영도구청 도시재생추진단
김대우, 서정희, 안해성, 윤병재, 윤종학, 이성훈, 이충석,
태윤재, 홍성호

영도구청 건축과

남항동주민센터

영도문화원
성일주, 성한경, 천기호

㈔대평동마을회
강장수, 김동진, 김상겸, 김영곤, 김재규, 남삼남, 박기영,
박영오, 신을임, 이영완, 이정애, 이종렬, 이춘옥, 이치윤,
전동수, 정금자, 하정태

영국문화원(한영교류사업)
예술감독 최석규
매니저 김윤정, 신예지

문화예술 플랜비
박진명, 정민정, 조미성

자문
강동진, 강영조, 김민수, 김승, 김정하, 김태만, 김한근, 김형균,
도현학, 박진명, 서종우, 심윤정, 이경춘, 정덕용,
한국해양기술행정사협회, 홍순연, 황보승희

회계검사
이촌회계법인

거점공간 조성 (3개 거점공간)

깡깡이 생활문화센터 및 마을박물관
김경화, 공간디자인 마루, 공간 힘, 다솜건축사사무소, 박경석,
윤필남

깡깡이 안내센터(유람선)
박재현, 비스페이스, 싸이트플래닝

깡깡이마을공작소
안재석, 싸이트플래닝

주민 참여 프로그램 및 마을축제

문화사랑방 강의
김대율, 김두진, 김정주, 김혜정, 대구근대골목-시간과 공간
연구소, 박성옥, 박진명, 故 이집윤, 장현정

마을해설사
진행 ㈜핑크로더
강장수, 김동진, 김성호, 김혜경, 박경화, 박분란, 박영오,
신을임, 이영옥, 장순옥

마을신문

진행 스토리머지, 복성경, 손판암, 정수진
김동진, 이은미, 이종렬, 이춘옥

댄스동아리

진행 무브먼트 당당, Etienne de la Sayette(프랑스), 임지윤, 허경미
촬영 김지곤, 손호목, 오민욱, 유병준, 최영민,
김부연, 서만선, 위우임, 유호희, 탁애자, 하청자

마을정원사

진행 가치예술협동조합
곽순희, 김진주, 박기영, 박승주, 서만선, 우경숙, 이정애,
전동수, 정금자, 한덕출

시화동아리

진행 이민아, 전영주
김길자, 김부연, 김순연, 박송엽, 서만선, 한덕출

마을다방 동아리

진행 도모, 이지은, 조수지, 조세빈
김두을, 박기영, 이동순, 이종렬, 정금자

마을목수 동아리

진행 정시원, 핸썸우드스튜디오
공선미, 서만선, 이춘옥

자서전 동아리

진행 정우련
김길자, 김부연, 김순연, 박송엽, 서만선, 조창래

민요동아리

진행 서영화
박소영, 서만선, 이남선, 탁애자, 하청자, 한미순

마을사진전

진행 쁘리야김
강장수, 김동진, 박기영, 박소영, 박송엽, 박영오, 박운하,
이영완, 조막점, 한귀선, 한미순, 허재혜

물양장살롱

김대율, 도모, 말란드로, 벽사유희, 수영지신밟기 보존회,
아이씨밴드, 윤규택, 재미난복수, 쟁반땅콩, ㈜선경마린,
초콜릿벤치, 최백호, 핑크로더

문화사랑방 및 물양장살롱 협력

김근태, 김두애, 김미라, 김창연, 문재성, 박재한, 송종민,
오상영, 우동준, 이욱진, 이지은, 정승민, 조대현, 최희웅,
하민지

예술가의 밥상

곡두, 김태희, 서영화 및 민요동아리, 신무경, 오카리나 앙상블,
장현정, 정시원, 정우련 및 자서전동아리, 정찬호,
㈜남산놀이마당, 진영목형, 하나정밀, 한정기, 해피피플

공공예술페스티벌

구헌주, 권민기, 김건우, 김경화, 김광태, 김범수, 김지곤,
노수진, 댄스동아리, 마을다방 동아리, 마을신문 동아리,
마을정원사 동아리, 마을해설사 동아리, 무브먼트 당당,
문호성, 박병근, 박진명, 배민기, 사이트갤러리, 스카웨이커스,
시화동아리, 씨네소파 협동조합, 어반피크닉, 윤필남, 이민아,
이세윤, 임형욱, 전광표, 전순남, 정만영, 정민정, 정소희,
조선소 근로자, 색소폰 동아리, 조세빈, 조수지, 조영자,
㈜핑크로더, 최경섭, 하기천, 허수빈, 허재혜, 허창식, 현수,
황형근, Ben Tew, DJ건봉, Mark Stafford, Paul Morrison

깡깡이유람선(영도도선복원) 및 산업관광

깡깡이유람선

㈜선경마린, 한국해양수산연수원 (김석재 김원욱)

깡깡이유람선 출항식

도모, ㈔동해안별신굿 보존회

선박아트

Rukkit Kuanhawate(태국)

신기한 선박체험관

금오 ENG, 김덕희, 김태희, 도모, 신무경, 서민정, 우동준,
정만영, 조미성, ㈜뜰과숲 원예점, Chen Sai Hua
Kuan(싱가폴), Nao Nishihara(일본)

산업관광 투어 활성화 프로그램

공간디자인 마루, 그린그림, 김선화, 마을박물관 프로젝트,
박인진, 박주현, 송기철, 스토리머지, 정만영, ㈜핑크로더,
진홍스튜디오

마을박물관 프로젝트

깡깡이오버씨프로젝트
박은주, 배민기, 백수진, 스카웨이커스, 최백호,
Mark Stafford(영국)

영상 아카이브
진행 평상필름
경진스크류, 광신벨로우즈, 대호엔지니어링, 부산아연,
부영기계, 성주철재, 영도조선, 예광전기공업사, 진영목형,
한국밸브

거리박물관프로젝트
김성계, 심점환, 우징

깡깡이예술마을 100년의 울림
강영조, 김필남, 김한근, 마을해설사 동아리, 문호성, 배미래,
배민기, 방호정, 서호빈, 시화 동아리, 오동건, 우동준, 이대한,
이세윤, 이승욱, 이여주, 장현정, 전재현, 정만영, 정우련,
정재훈, 최예송, 최예지, 최효선, 추주희, 평상필름, 하은지,
현수, 호밀밭출판사, 홍석지, 홍주남, Mark Stafford(영국)

가이드북
우동준, 이정임

마을박물관프로젝트 협력
강성현, 강수호, 강승훈, 구희상, 김경범, 데니스 유리예비치
자도로즈니(러시아), 박병근, 박영, 박영신, 박은생, 박은주,
방호정, 블라디미르 아나톨리예비치 오노프리옌코(러시아),
손모아, 손호목, 신봉현, 신현권, 오민욱, 유재철, 유리,
빅토르비치 드미트리예프(러시아), 윤병준, 융스트링,
故 이상직, 이성렬, 이윤규, 임성학, 임종광, 장현정, 전순남,
정남준, 조영자, 최경섭, 최영민, 최유도, 하영석, 허창식

마을박물관 물품기증
강영준, 구민석, 권소부, 김광태, 김선일, 김영곤, 김정현,
김창수, 김태영, 남경율, 류환수, 박대수, 박명준, 박정안,
박창세, 박현정, 백영신, 손철수, 안주봉, 양광수, 양희석,
이명동, 이문환, 이복순, 이수현, 이종석, 故 이집윤, 이효일,
임형욱, 장원진, 장재진, 전재남, 정대섭, 정주화, 조성휘,
추복만, 하병기, 한길호, 황갑성, 황점성

퍼블릭아트 프로젝트

페인팅시티
구헌주 – 항구의 표정들 3점
구헌주&Zéh Palito(브라질) – 풍경 1점
배민기 – 깡깡시티 18점
신혜미 – 영도 사람들 1점
정크하우스 – 수리가 있는 깡깡이마을 1점,
컬러풀 스트리트 6점, 프로펠러 1점
Hendrik beikirch(독일) – 우리 모두의 어머니 1점
Paul Morrison(영국) – 쇠뜨기 1점
Sayoko Hirano(일본) – 바로 그곳에 1점
Zéh Palito(브라질) – 경외로운 자연 5점

상징조형물
공간디자인 마루 – <깡깡이예술마을> 상징조형물 1점

거리박물관
심점환 – 깡깡이마을 수리조선소 변천사 7점
우징 – 철로 소리를 만들다 3점

아트벤치
김상일 – 두드림 1점
김성철 – 관계_어울림 1점
박상호 – 깡깡이마을 4점
신명덕 – 나무벤치 5점
조형섭 – 시간에 '닻'다 1점

골목정원
가치예술 협동조합 – 거리정원 2개소
백성준 – 쌈지공원 1개소

라이트프로젝트
박재현 – 바다 새로운 소통 1점
이광기 – 그때 왜 그랬어요 1점
허수빈 – 파란 구름 12점
Ben Tew(영국) – 가닥들 2점

키네틱프로젝트
김태희 – 바람과 시간 1점
박기진 – 발견 1점
신무경 – 대평의 미래 1점

사운드프로젝트

전광표 – 깡깡이마을 소리지도 1점

정만영 – 소리전화부스 1점

Chen Sai Hua Kuan(싱가폴) – 써라운드 사운드 스피커 1점

Nao Nishihara(일본) – 환풍기 소리장치 1점

퍼블릭아트프로젝트 협력

고혁빈, 권병구, 그랜드160, 김권진, 김덕희, 김보민, 김부국, 김승영, 김용수, 김윤제, 김윤호, 김정민, 김진규, 김찬환, 김태형, 김하림, 김형철, 대일금속, 도호선, 럭키레이저, 레드불, 류성효, 문진욱, 바버샵 커피, 박경석, 박은주, 박재한, 배기덕, 배성미, 백수진, 삼정기업, 송기철, 신창우, 오상영, 이욱진, 이지현, 이찬우, 이창환, 임성민, 임종광, 장인수, 전재현, 전창훈, 정윤주, 정혁재, 조권익, 조동국, 통영고물상, 하나정밀, 한국전력, 영도지사, 한진영, 허성우, 허찬우, 홍문기

메이커스 프로젝트

진행 스튜디오이인, 은여우, 정찬호, 조미성

남양아연, 도원전기, 신창공업사, 제이제이노즐사, ㈜세웅, 진영목형, 하나정밀, 한국밸브, 한성씰리데나, 한일프로펠라, 해주항해계기사

깡깡이 크리에이티브

BI 캐릭터 홈페이지 지도 기념품

그린그림, 올드뉴스, 열린문화공동체 딱, 이동이, 프롬샵

마을신문

스토리머지

사진 영상

김기석, 김태정, 고삐풀린영화사, 미디어팩토리몽, 미디토리협동조합, 진홍스튜디오

학술행사

영도문화도시 콜로키움 (2019.1.)

강동진, 권순석, 박은진, 손경년, 송교성, 이승욱, 이여주, 정영민, 창파, 하은지, 홍순연

2019 깡깡이예술마을 포럼 (2019.4.)

김준기, 김철우, 류성효, 류효봉, 박명호, 성현무, 송교성, 신동호, 신병윤, 윤현석, 이승욱, 이여주, 정승민, 최성우, 홍순연

수상실적

2018
- 지역문화대표브랜드 최우수상(문화체육관광부 장관상) 수상(주최: 문화체육관광부)
- 영국 대외통상부 주관 혁신대상(Innovation is Great) PLAY 부문 수상 Busan Sheffeld Intercity Arts Project (주최: 플랜비문화예술협동조합, 사이트갤러리 / 후원: 한국문화예술위원회, 영국예술위원회, 부산시 / 협력: 영국문화원, 영도구, 영도문화원, 깡깡이예술마을사업단)
- 부산도시재생박람회- 마을공동체 우수사례 최우수상 (주최: 부산시, 부산도시재생지원센터)

2017
- 마을미디어 축제 마을미디어 활동사례 우수상 (주관: 방송통신위원회 / 주최: 시청자미디어재단 부산센터, 부산민주언론시민연합 후원: 부산경남대표방송 KNN)
- 제2회 대한민국 범죄예방대상–행정안전부장관 표창(주최: 경찰청, 중앙일보)

도시를 움직이는 상상력
: 도시재생, 문화예술, 커뮤니티의 관점에서 바라본 <깡깡이예술마을> 5년

제1판 제1쇄
2023년 8월

참여 필자
이승욱 <문화예술 플랜비> 이사장/깡깡이예술마을 예술감독
이여주 <문화예술 플랜비> 이사/깡깡이예술마을 예술국장

우신구 부산대학교 건축학과 교수
홍순연 <로컬바이로컬> 대표
강동진 경성대학교 도시공학과 교수

조선령 부산대학교 예술문화영상학과 교수
김성연 부산비엔날레 집행위원장, 부산현대미술관 관장/깡깡이예술마을 전시감독
박형준 부산외국어대학교 한국어교육학과 교수

송교성 <문화예술 플랜비> 대표이사/깡깡이예술마을 사무국장
하은지 부산근현대역사관 라키비움 프로그램 운영팀/깡깡이예술마을 기획팀장
밍응웻 부산 소재 IT회사 내 코퍼스 번역가

편집
<문화예술 플랜비>
이승욱 이사장
정민정 미래가치실 실장
조미성 미래가치실 팀장
최재영 미래가치실 대리

디자인
그린그림(박성진)

펴낸 곳
문화예술 플랜비
부산광역시 수영구 황령산로15번길 31
051.622.6200
coop.planb@gmail.com
creativeplanb.com

깡깡이예술마을 홈페이지 및 연락처
kangkangee.com
깡깡이 안내센터 051.418.3336

ISBN 979-11-976787-7-6
값 22,000원